LES RECETTES DU MARCHÉ

Les Recettes du Marché

Textes et recettes
Sylvie Tardrew

Photographies
André Martin

Éditions du Chêne

Avertissement

L'éditeur a choisi pour la clarté de cet ouvrage un découpage géographique en cinq zones (Nord-Est, Nord-Ouest, Centre, Sud-Est et Sud-Ouest) qui ne correspondent pas nécessairement aux régions administratives de la France.

SOMMAIRE

Marchés de printemps

*Les jours prennent le pas sur les nuits,
les marchés ont bonne mine, le printemps est là.*

Le printemps est, par excellence, la saison des légumes vifs et délicats qui donnent de l'esprit aux viandes, surtout à l'agneau, mais aussi aux poissons et aux volailles. Cette saison s'annonce donc avec les imaginatives « jardinières » fumantes et colorées. La Bretagne propose les premiers choux-fleurs, tout blancs, dans leur couronne de feuilles vertes. Ce légume croquant, formidable quand il est dégusté cru, qui s'accommode à nombre de salades, convivial traité en gratin, est trop souvent dédaigné, victime d'une réputation hivernale qui lui colle à la peau.

Sur les marchés, l'artichaut camus est le héraut qui assoie la réputation de la Bretagne. Le Finistère en est le sol privilégié : l'aspect robuste et imposant du Prince-de-Bretagne cache un cœur tendre à la finesse incontestée. Il a réussi à détrôner le gros vert de Laon, artichaut parisien devenu presque introuvable. Cela a fait l'affaire des petits violets de Provence ou poivrades, vendus en bouquets, décidément très à la mode. Dans le Var, si vous trouvez sur les étalages le violet de Gapeau, ne laissez pas passer l'occasion d'acheter cet artichaut original ancré dans son territoire d'origine.

Le petit radis rose est également le porte-drapeau du printemps. Récolté à peine un mois après le semis, il est si frais qu'il se croque au sel, juste comme ça, pour le plaisir. Le radis nous arrive du Val de Loire, puis de la région parisienne. Comme il vieillit

*Fin avril à mi-juin : la saison des asperges est courte,
en particulier dans le nord de la France, mais c'est seulement
à cette époque qu'elles offrent un goût incomparable.*

mal et devient vite piquant, il faut être attentif à la couleur de ses fanes qui doivent être vives (dont vous ferez de délicieux potages), à son teint blanc et à ses joues roses.

Les primeurs suivent de près ces premiers bouquets. En vedette : la pomme de terre, à la peau si fine qu'il est inutile de la peler, et si fragile qu'il faut la protéger de la lumière pour la conserver. En Bretagne, la roseval et la charlotte tiennent le haut du pavé. Mais les insulaires de Ré et Noirmoutier ont définitivement assis leur réputation, et c'est sur leurs îles qu'elles ont le meilleur goût. Ne confondez pas les pommes de terre primeurs, qui, cueillies

Tomates, courgettes, haricots verts, aubergines. Sur le marché on trouve tout ce qu'il faut pour faire une ratatouille ou une salade niçoise : mais il faut se méfier des courgettes et des aubergines trop grosses et/ou un peu flétries, et ne pas hésiter à casser un haricot pour vérifier s'il est craquant, sans fils et non monté en graine.

avant pleine maturité, désertent les marchés dès le 1ᵉʳ juillet, avec les pommes de terre nouvelles, cueillies elles aussi avant pleine maturité, mais disponibles tout l'été.

À Nantes, les carottes primeurs, longues, minces et vendues en bottes avec leurs fanes d'un vert soutenu, font leur première apparition. Leur succès est tel que les Landais se sont mis à les cultiver et détiennent le record de production.

Les petits oignons frais vendus en bottes sont la plupart du temps cultivés dans les ceintures maraîchères, autour des villes. Les cébettes récoltées avant la tubérisation, et les cèbes à la forme allongée, sont de purs produits du Sud-Est. À Tournon, en Ardèche, on célèbre les oignons dorés et, chaque été, de nombreux visiteurs venus de tous les coins de France et d'Europe viennent les goûter et les acheter.

Les navets nouveaux aux fanes bien vertes, tout ronds et légèrement violets au collet, ou les navets de Nancy, à la chair bien ferme, sont bizarrement installés dans le Val de Loire et se retrouvent sur

les marchés provençaux, bretons, parisiens… Ne jetez pas les fanes : tendres et crues, vous pouvez les mélanger à des salades ou, comme pour les fanes de radis (autres navets), les introduire dans les soupes.

Que serait le printemps sans les subtiles asperges : blanches et charnues, elles sont un mets royal au nord de la Seine. Vertes, fines, violettes et maigres, elles sont un mets rustique dans le Sud. Mais qu'elles soient pochées, braisées, sautées, traitées en omelette ou en petits légumes, elles ne durent que le temps de les apprécier.

Les asperges d'Argenteuil ne sont plus d'Argenteuil, elles ont déménagé vers Cergy et l'urbanisation finira par les bouter hors de la région parisienne. Qu'importe, en mai, on fête encore l'asperge à Argenteuil.

La très symbolique asperge cédera devant l'invasion des légumes verts : le chou de printemps de Bretagne ou de Picardie, au nez pointu vert pâle ; le pois gourmand que l'on n'écosse pas, et le petit pois lisse ou ridé, rentable légume potager longtemps cultivé dans la région parisienne comme à Clamart ou Saint-Germain.

Les épinards nouveaux et l'oseille ont échappé au purgatoire des légumes boudés. Très appréciée dans le Sud-Ouest, l'oseille est superbe en avril et en mai, mais, dès les fortes chaleurs, elle s'étiole et flétrit. Elle se consomme rarement seule car elle est très acide. C'est une merveille quand elle accompagne les poissons. La soupe à l'oseille est une tradition dans le Périgord.

Les herbes aromatiques étaient sauvages et les amateurs les cueillaient dans la nature. Cultivées en plein champ, elles ont envahi tous les marchés. Si le basilic à feuilles larges reste le symbole de la cuisine du sud-est de la France, celui du Sud-Ouest, plus serré, aux feuilles plus petites et un peu amères, ne manque pas de caractère (à condition de ne pas le faire cuire car il perdrait tout son charme).

Les morilles, traquées par les amateurs, n'ont besoin de rien d'autre qu'elles-mêmes pour séduire les gastronomes. Ces champignons en forme d'éponge, qui vont du brun au jaune clair, se découvrent sur les marchés, mais également au cours de

Les ingrédients de la belle jardinière : laitues, cébettes, carottes fanes, navets nouveaux, petits pois et pois gourmands : ne résistez pas à la tentation.

promenades dans les forêts. Ils sont abondants dans le Sud-Ouest et le Sud-Est.

Le printemps, c'est aussi la somptueuse rhubarbe qui s'impose en Alsace et en Lorraine. Plante éphémère, il faut la cuisiner vite : en compote, en confiture, en tartes, et ne pas hésiter à la mélanger aux poires et aux pommes qui ont passé l'hiver.

Le temps des fraises va durer jusqu'à l'été. La jolie gariguette, de forme allongée, à la robe rouge, brillante, ouvre le bal en Bretagne, suivie de la fraise de Touraine, puis de celle d'Aquitaine. Elles valent la pajaro, élevée en Provence, et l'elsanta, légèrement acide, qui pousse sur toutes les terres de France. Mais la meilleure, la plus parfumée, la plus

rare et la plus fragile, c'est la mère de toutes nos fraises : la fraise des bois.

La cerise est en concurrence directe avec la fraise. C'est un fruit ludique et éphémère dont se rassasient d'abord les oiseaux. Il faut traverser le Lubéron au printemps et admirer ces vergers couverts de cerisiers, croulant sous les petites boules rouges ! Burlat, bigarreau, guigne, napoléon, marmotte, griotte et amarel nous enchantent de juin à juillet. Les très élégantes montmorency ont complètement disparu de leur terroir, victime du succès des cerises plus sucrées, plus fermes, plus charnues. Elles ne subsistent plus que dans le jardin d'amateurs sentimentaux. Les jolies cerises ne dansent que le temps du printemps. Cueillez-les sur l'arbre, goûtez-les aussitôt... Pensez cependant à les accommoder avec des volailles et à récupérer les queues : celles-ci feront, une fois séchées, d'excellentes tisanes. Mais n'anticipons pas déjà sur la fin de l'année...

Soupe des hortillonnages

Picardie

Préparation : 45 minutes

Cuisson : 40 à 50 minutes

1. Préparez tous les légumes. Écossez les petits pois. Lavez les poireaux, ôtez les feuilles trop vertes, coupez-les en fines rondelles. Ôtez les premières feuilles du chou, coupez le cœur en petites lanières. Pelez les pommes de terre, coupez-les en petits dés, passez-les sous l'eau froide, puis laissez-les s'égoutter dans une passoire.

2. Lavez, équeutez l'oseille. Réservez-la. Lavez, essorez et ciselez le cerfeuil. Lavez, essorez la laitue, coupez-la en fines lanières.

3. Dans un faitout à fond épais, faites chauffer 50 g de beurre. Dès qu'il commence à mousser, mettez le chou et les poireaux. Laissez étuver 10 minutes à couvert et sur feu doux.

4. Versez alors 2 litres d'eau, ajoutez les pommes de terre et les petits pois, portez à ébullition sur feu vif. Dès le premier bouillon, baissez le feu. Salez et poivrez, couvrez et laissez cuire ainsi de 30 à 40 minutes (selon la quantité et la taille des légumes).

5. Pendant ce temps, mettez le reste du beurre dans une autre casserole, faites-y fondre l'oseille, la laitue et le cerfeuil.

6. 5 minutes avant la fin de la cuisson des légumes, ajoutez les verdures dans le faitout. Couvrez, laissez 5 minutes et servez aussitôt. Présentez avec du bon beurre, de la fleur de sel et du poivre en grains.

La soupe des hortillonnages annonce le printemps. Elle est réalisée à partir des premiers primeurs. Les hortillonnages sont, en Picardie, des marais divisés par de petits canaux qui servent aux cultures maraîchères.

Pour 6 personnes

250 g de pommes

de terre nouvelles

500 g de petits pois frais

1 cœur de chou nouveau

1 cœur de laitue

6 petits poireaux nouveaux

100 g d'oseille

1 bouquet de cerfeuil

100 g de beurre

Sel

Poivre

Nord-Est

Blanquette de veau

Ile-de-France

Préparation : 20 minutes

Cuisson : 1 heure
à 1 heure 20

1. Mettez les morceaux de veau dans un faitout. Couvrez d'eau froide. Salez, portez rapidement à ébullition. Dès le deuxième ou troisième bouillon, retirez la viande à l'aide d'une écumoire et rafraîchissez-la sous l'eau froide. Épongez les morceaux de veau dans du papier absorbant.

2. Jetez l'eau de cuisson. Nettoyez le faitout. Remettez-y les morceaux de veau. Couvrez à nouveau d'eau. Portez à ébullition. Écumez si nécessaire. Ajoutez le vin blanc, le bouquet garni, les oignons, les carottes pelées, les grains de poivre. Couvrez et laissez cuire de 45 minutes à 1 heure.

3. Égouttez la viande. Réservez-la. Faites réduire de moitié le bouillon.

4. Pendant ce temps, nettoyez les champignons de Paris et coupez-les en quatre. Faites-les rissoler dans un peu de beurre. Quand ils sont dorés, réservez-les avec la viande.

5. Passez le bouillon au chinois. Dans un grand bol, délayez la crème fraîche avec le jus du citron, les jaunes d'œufs et 2 louchées de bouillon. Versez ce mélange dans le reste du bouillon sur feu doux, sans cesser de remuer et sans faire bouillir.

Pour 6 personnes

1,5 kg de morceaux
de veau pour blanquette
avec des tendrons

2 ou 3 jaunes d'œufs

250 g de crème fraîche

300 g de champignons
de Paris

2 carottes

Le jus de 1 citron

2 oignons piqués de 1 clou
de girofle chacun

5 grains de poivre

1/2 bouteille de vin blanc

1 bouquet garni (thym, laurier,
tiges de persil, feuille de céleri
dans du vert de poireau)

15 g de beurre

Sel, poivre

Ajoutez alors la viande et les champignons. Salez, poivrez si nécessaire.

6. Servez cette blanquette au printemps avec des petits légumes nouveaux : carottes, navets, haricots verts, courgettes, pois gourmands cuits *al dente*.

En hiver, les pommes de terre à l'anglaise ou le riz sont les accompagnements classiques de la blanquette. Cette recette peut s'adapter aux volailles comme la poule ou la dinde.

Petits pois à la parisienne

Ile-de-France

Préparation : 20 minutes
Cuisson : 20 minutes

1. Épluchez les oignons. Lavez la salade et les herbes, essorez-les. Écossez les petits pois.

2. Dans une cocotte, faites mousser 50 g de beurre, ajoutez la farine et remuez jusqu'à ce que le mélange soit bien homogène. Versez alors 20 cl d'eau froide d'un coup. Remuez.

3. Quand le tout est bien lié, ajoutez les petits pois, puis les oignons nouveaux, le persil et la ciboulette. Remuez, salez, poivrez, enfoncez le morceau de sucre. Couvrez. Laissez cuire ainsi 15 minutes sur feu doux. Ajoutez la romaine ciselée et laissez la cuisson se poursuivre de 2 à 3 minutes.

4. À l'aide d'une écumoire, ôtez tous les légumes, réservez-les au chaud dans un légumier. Liez le jus resté au fond de la cocotte avec les jaunes d'œufs, goûtez, rectifiez l'assaisonnement.

5. Versez sur les petits pois, remuez. Servez sans attendre.

Pour 6 personnes

3 kg de petits pois frais

4 oignons nouveaux

1 botte de ciboulette

1 bouquet de persil

1 romaine

2 jaunes d'œufs

50 g de beurre

1 cuillerée à soupe de farine

1 morceau de sucre

Sel

Poivre

Ajoutez quelques dés de jambon, un cœur de laitue, et les petits pois à la parisienne deviennent des petits pois bonne-femme. Une recette simplifiée mais tout aussi délicieuse consiste à faire sauter les petits pois directement dans une poêle avec un peu de beurre et un morceau de sucre.

Asperges à la flamande

Nord-Pas-de-Calais

Préparation : 15 minutes

Cuisson : 30 minutes

pour les asperges

+ 9 minutes pour les œufs

1. Ôtez le bout terreux des asperges, épluchez-les à l'aide d'un couteau-économe. Ficelez-les par bottillons de 6.
2. Faites bouillir une grande quantité d'eau salée. Au premier bouillon, plongez-y les asperges et laissez cuire 30 minutes environ à partir de la reprise de l'ébullition.
3. Pendant ce temps, mettez les œufs à durcir dans de l'eau bouillante vinaigrée en comptant 9 minutes à partir de la reprise de l'ébullition. Passez-les rapidement sous l'eau froide avant de les écaler et de les couper en quatre.
4. Passez le persil sous l'eau, essorez-le, épongez-le. Hachez-le fin. Écrasez grossièrement les œufs à la fourchette. Réservez.
5. Égouttez les asperges, ôtez la ficelle, et mettez-les sur un linge plié en quatre. Faites fondre le beurre au bain-marie dans une jolie saucière. Quand il est translucide, ajoutez le persil haché et les œufs durs écrasés.
6. Présentez en même temps les asperges tièdes et la sauce encore chaude. Salez et poivrez à convenance.

Pour 6 personnes

36 asperges

1 gros bouquet de persil

6 œufs

250 g de beurre

Sel

Poivre

Les asperges de bonne qualité peuvent aussi se déguster nature, accompagnées d'une simple vinaigrette ou d'une sauce mousseline au beurre frais demi-sel.

Le potage argenteuil est élaboré avec des asperges blanches dont les pointes ont déjà été utilisées pour une préparation plus raffinée. Faites cuire les morceaux d'asperges à l'eau bouillante salée. Passez-les au moulin à légumes, puis incorporez-y un peu de farine de riz. Au moment de servir, ajoutez de la crème fraîche et 1 jaune d'œuf.

Tarte à la rhubarbe

Alsace

Préparation : 15 minutes

Cuisson : 15 minutes

pour le fond de tarte

+ 30 à 40 minutes

pour la tarte garnie

Pour 6 personnes

400 g de pâte sablée

800 g de rhubarbe

100 g de sucre

3 cuillerées à soupe

de semoule de blé

1 cuillerée à soupe de beurre

Légumes secs

1. Préchauffez le four à 180 °C (th. 6).
2. Beurrez un moule de 22 cm de diamètre. Étalez-y la pâte sablée. Découpez une feuille de papier sulfurisé de même dimension et posez-la dessus. Garnissez la tarte de légumes secs. Mettez au four et laissez cuire 15 minutes environ.
3. Pendant ce temps, épluchez la rhubarbe. Coupez-la en morceaux de 2 cm de long. Mettez ceux-ci dans un grand saladier, saupoudrez de sucre. Mélangez de temps en temps jusqu'à ce que le sucre soit complètement fondu.
4. Retirez le fond de tarte du four. Ôtez le papier sulfurisé et les légumes secs. Laissez refroidir.
5. Saupoudrez le fond de tarte de semoule de blé, puis versez la rhubarbe. Remettez dans le four à 150 °C (th. 5) et laissez cuire de 30 à 40 minutes. Servez à température ambiante.

La semoule permet d'absorber le jus exprimé par la rhubarbe, ce qui évite que la pâte s'amollisse. Vous pouvez remplacer la semoule par de la crème pâtissière.

La rhubarbe est une plante plus ou moins rosée, à la saveur très acide. Il faut soigneusement en ôter les fils à l'aide d'un couteau-économe, avant de la faire macérer dans du sucre pour la transformer en compote, par exemple.

Canettes aux petits pois et pois gourmands

Bretagne

Préparation : 20 minutes

Cuisson : 1 heure environ

1. Préchauffez le four à 180 °C (th. 6).
2. Pelez les oignons, émincez-les. Détaillez la poitrine en lardons. Faites-les blanchir 10 minutes environ à l'eau bouillante.
3. Dans une grande cocotte en fonte, faites chauffer le mélange beurre-huile et mettez-y les canettes à rissoler. Quand elles sont dorées, retirez-les et remplacez-les par les lardons et les oignons. Faites-les dorer. Replacez alors les canettes, couvrez, mettez au four et laissez cuire de 20 à 30 minutes.
4. Pendant ce temps, écossez les petits pois et effilez les pois gourmands. Faites blanchir les premiers 10 minutes à l'eau bouillante, et les seconds 5 minutes. Passez-les sous l'eau froide. Égouttez.
5. Sortez la cocotte du four, versez les légumes tout autour. Ajoutez le thym. Mélangez délicatement. Couvrez la cocotte, remettez-la au four et laissez cuire encore 10 minutes environ.
6. Prélevez les ailes et les cuisses des canettes. Disposez-les dans un plat de service entourées des légumes. Servez très chaud.

Les pois gourmands, mystère du commerce, se trouvent désormais à toutes les saisons. Ce légume, longtemps rare, est devenu à la mode et participe à la bonne humeur des salades variées et des fricassées de légumes.

Pour 6 personnes

3 canettes préparées par le volailler

150 g de poitrine de porc demi-sel

1 kg de petits pois frais

500 g de pois gourmands

12 petits oignons

1 bouquet de thym

100 g de beurre doux

1 cuillerée à soupe d'huile d'arachide

Sel

Poivre

Gratin de chou-fleur

Bretagne

Préparation : 20 minutes

Cuisson : 15 à 20 minutes

pour le chou-fleur

+ 10 minutes

pour la béchamel

+ 10 à 15 minutes

pour le gratin

1. Ôtez les feuilles vertes et le trognon du chou, puis séparez-le en bouquets en prenant soin de couper à chaque fois la tige.
2. Faites bouillir dans une grande marmite de l'eau salée avec le jus du citron et 1 cuillerée à soupe de farine. Plongez-y les bouquets de chou-fleur et comptez 15 minutes, à partir de la reprise de l'ébullition. La cuisson doit être *al dente*.
3. Faites fondre le beurre sur feu doux. Quand il commence à mousser, ajoutez la farine. Remuez jusqu'à ce que le mélange blondisse. Versez le lait froid d'un seul coup, assaisonnez en sel, poivre et noix muscade et remuez jusqu'à l'épaississement souhaité. Incorporez la moitié de l'emmenthal.
4. Disposez le chou-fleur dans un plat à gratin beurré. Recouvrez de béchamel, parsemez du reste d'emmenthal râpé. Mettez dans le four à 180 °C (th. 6), laissez cuire environ 15 minutes.

La plupart des légumes, pourvu qu'ils soient cuits al dente, peuvent être préparés ainsi.

Pour 6 personnes

1 chou-fleur

Le jus de 1 citron

100 g d'emmenthal râpé

50 cl de lait

50 g de beurre + 1 noix

50 g de farine

+ 1 cuillerée à soupe

Sel

Poivre

Noix muscade

Navets au cidre

Bretagne

Préparation : 10 minutes

Cuisson : 15 minutes

pour la réduction

+ 10 minutes

1. Épluchez les navets en prenant soin de conserver la base des fanes. Faites-les blanchir 5 minutes dans de l'eau bouillante salée. Passez-les sous l'eau froide. Épongez-les.
2. Dans une casserole, faites réduire de moitié le cidre sur feu vif.
3. Dans une cocotte, faites fondre le beurre et mettez-y les navets à rissoler. Quand ils sont dorés, versez le cidre réduit et le bouillon de volaille. Ajoutez le bouquet garni. Salez, poivrez. Couvrez. Laissez mijoter 10 minutes.
4. Servez ces délicats navets avec une volaille rôtie.

Pour 6 personnes

18 navets nouveaux

1 bouquet garni (thym,

laurier, persil dans un vert

de poireau)

75 cl de cidre brut

15 cl de bouillon de volaille

80 g de beurre

Sel, poivre

Confiture de fraises

Bretagne

Préparation : 10 minutes

Cuisson : 10 minutes

pour le sirop + 20 minutes

pour la confiture

Pour 4 pots

1 kg de fraises de Plougastel

750 g de sucre

1 gousse de vanille

1. Passez rapidement les fraises sous l'eau, équeutez-les et coupez-les en morceaux.
2. Dans une bassine à confitures (ou, à défaut, une grande marmite), mettez le sucre et 1/2 verre d'eau. Faites chauffer à feu vif. Dès le premier bouillon, baissez le feu et, dès que le sirop devient limpide, jetez-y les fraises. Laissez cuire de 20 à 30 minutes à partir de la reprise de l'ébullition. Écumez très souvent.
3. Ôtez la bassine du feu et laissez refroidir la confiture avant de la mettre en pots.

Vous pouvez remplacer les fraises de Plougastel par les gariguettes ou les selva. Les fraises au vin étaient adorées du roi Louis XIV. Son médecin, affolé par sa gourmandise, avait fini par les lui interdire.

Teurgoule

Normandie

Préparation : 3 minutes

Cuisson : 5 heures

Pour 6 personnes

200 g de riz rond

250 g de sucre

80 g de beurre + 30 g

pour le papier d'aluminium

2 litres de lait entier

1 gousse de vanille

1 pincée de sel

1. Préchauffez le four à 180 °C (th. 6) 20 minutes avant d'enfourner la préparation.
2. Dans une grande terrine, mettez tous les ingrédients avec la gousse de vanille coupée en deux dans le sens de la longueur. Mettez au four et laissez cuire 1 heure.
3. Au bout de ce temps, vérifiez l'aspect du teurgoule. Une croûte dorée doit s'être formée. Couvrez alors d'une feuille de papier d'aluminium ménager bien beurrée. Baissez la température à 140 °C (th. 4) et laissez cuire encore 4 heures.
4. Ce dessert est cuit quand il est ferme sous le doigt. Il se sert tiède ou froid, accompagné ou non de crème fraîche, crème anglaise ou compote.

Cervelle de canut

Lyonnais

Préparation : 20 minutes

Repos : 2 heures

1. Laissez le fromage blanc s'égoutter avant de l'utiliser.
2. Pendant ce temps, préparez toutes les herbes. Épluchez l'échalote et la gousse d'ail et hachez-les fin. Mettez tous ces ingrédients dans un mixeur, hachez-les.
3. Versez le fromage blanc dans un grand saladier, battez-le quelques minutes au fouet, ajoutez le hachis sans cesser de battre, puis l'huile d'olive et le vin blanc. Salez, poivrez.
4. Battez la crème fraîche, incorporez-la délicatement au fromage blanc.
5. Versez la préparation dans un grand bol ou saladier tapissé d'une fine mousseline. Nouez celle-ci et entreposez le récipient 2 ou 3 heures au réfrigérateur.
6. Au moment de servir, soulevez la mousseline, videz l'eau restée au fond du saladier. Dépliez délicatement la mousseline et retournez la cervelle de canut dans un autre plat ou saladier. Servez avec de larges tranches de pain ou des crudités.

Pour 6 personnes

600 g de fromage blanc

20 cl de crème fraîche

1 échalote

1 bouquet de persil

1 gousse d'ail

10 cl d'huile d'olive

10 cl de vin blanc

Ciboulette

Cerfeuil

Estragon

Sel

Poivre

Tous les fromages blancs frais, qu'ils soient de Lyon, de Normandie ou de Corse, peuvent s'apprêter de cette façon. Selon les goûts, on préférera telle ou telle herbe. Pensez à tremper les crudités de saison dans la cervelle de canut.

Falette auvergnate

Auvergne

Préparation : 30 minutes

Trempage : 2 heures

Cuisson : 1 heure 30
à 2 heures

1. Faites tremper les raisins secs 2 heures dans de l'eau chaude.
2. Nettoyez les bettes en ne gardant que le vert. Faites blanchir dans l'eau bouillante salée. Égouttez, essorez. Hachez grossièrement, réservez.
3. Pelez les oignons, les échalotes et l'ail. Dans le bol d'un robot ménager, mettez la gorge de porc, le lard gras, l'ail et les échalotes. Mixez.
4. Dans une terrine, mélangez les feuilles de bettes, le hachis de viande et les œufs entiers, salez, poivrez. Saupoudrez de 4-épices. Malaxez, puis incorporez les raisins égouttés.
5. Étendez la pièce de veau, déposez la farce dessus, enroulez fermement et ficelez fortement.
6. Dans une cocotte, faites chauffer le saindoux et faites-y rissoler la palette de tous côtés. Ajoutez les oignons émincés, le bouillon de volaille, le vin blanc et le bouquet garni. Salez et poivrez. Couvrez, laissez mijoter de 1 heure 30 à 2 heures sur feu très doux en retournant la viande de temps en temps.

Pour 6 personnes

2 kg de poitrine de veau, désossée et étendue

300 g de gorge de porc

200 g de lard gras demi-sel

2 œufs

1 kg de bettes

200 g de raisins de Smyrne

2 gousses d'ail

1 bouquet garni

3 oignons

2 échalotes

15 cl de vin blanc

20 cl de bouillon de volaille

2 cuillerées à soupe de saindoux

4-épices

Sel, poivre

Morilles à la crème

Bresse

Préparation : 10 minutes

Cuisson : 20 minutes environ

1. Lavez les champignons sous l'eau courante froide. Essuyez-les soigneusement.
2. Dans une casserole, faites bouillir la crème fleurette (en réservant 1 cuillerée à soupe).
3. Dans une sauteuse, faites étuver les champignons dans le beurre avec 2 ou 3 gouttes de jus de citron. Salez, poivrez. Versez la crème bouillante et laissez réduire jusqu'à ce que la sauce ait épaissi et soit bien onctueuse. Juste avant de servir, ajoutez la cuillerée de crème réservée.

Pour 6 personnes

300 g de morilles

3 gouttes de jus de citron

50 cl de crème fleurette

1 cuillerée à soupe de beurre

Sel

Poivre

Clafoutis

Limousin

Préparation : 5 minutes

Cuisson : 20 minutes

1. Préchauffez le four à 240 °C (th. 8).
2. Beurrez le fond d'un plat en terre. Disposez-y les cerises dénoyautées ou non (selon votre goût).
3. Battez les œufs ainsi que les jaunes avec 200 g de sucre semoule et le sucre vanillé. Ajoutez la crème fraîche, versez le kirsch, mélangez et répandez sur les cerises.
4. Mettez au four et laissez cuire 20 minutes.
5. Sortez le plat du four. Saupoudrez-le avec 2 cuillerées à soupe de sucre semoule. Repassez le dessert sous le gril pour qu'il caramélise. Servez tiède ou froid.

Pour 6 personnes

600 g de cerises

8 œufs + 2 jaunes

80 g de crème fraîche

80 g de beurre

200 g de sucre semoule

+ 2 cuillerées à soupe

1 sachet de sucre vanillé

1 petit verre de kirsch

Le clafoutis limousin est le cousin germain des flognardes aux pommes normandes, des fars bretons aux pruneaux, et autres desserts élaborés à partir d'une base de pâte à crêpe épaisse. Les fruits rouges (framboises, fraises, groseilles…), les prunes, les abricots, les pêches et les nectarines peuvent être ainsi traités.

Aïoli

Provence

Préparation :
30 minutes environ
Dessalage : 24 heures

1. La veille, mettez la morue à dessaler dans un grand saladier d'eau froide. Laissez ainsi 24 heures en renouvelant l'eau de temps en temps.

2. Le jour même, préparez tous les légumes (carottes, haricots verts, navets, pommes de terre) et faites-les cuire séparément *al dente*. Faites durcir les œufs.

3. Retirez la morue du saladier, rincez-la sous l'eau froide et faites-la pocher.

4. Pendant ce temps, préparez l'aïoli. Pelez les gousses d'ail. Mettez-les dans un mortier (en pierre de préférence) avec 1 pincée de gros sel et 3 grains de poivre. Pilez jusqu'à l'obtention d'une pâte un peu liquide et bien odorante. Ajoutez alors la demi-pomme de terre cuite et pelée ou la chapelure. Pilez jusqu'à ce que la pâte devienne consistante et bien homogène.

5. Ajoutez les jaunes d'œufs dans le mortier, puis, sans cesser de tourner avec le pilon, faites couler un petit filet d'huile d'olive. Continuez ainsi jusqu'à ce que le mélange épaississe et devienne onctueux sans être trop ferme.

6. Servez l'aïoli avec tous les légumes (carottes, haricots verts, navets, pommes de terre, artichauts crus, tomates), les œufs durs, les bigorneaux et la morue tièdes.

Pour 6 personnes

1 kg de morue

1 litre de bigorneaux cuits

6 œufs + 2 jaunes

6 gousses d'ail

(soit 1 par personne)

6 tomates

6 petits artichauts violets

12 carottes jaunes

500 g de haricots verts

12 petits navets de printemps

6 pommes de terres nouvelles

1/2 pomme de terre cuite

ou 1 poignée de chapelure

Huile d'olive

Gros sel

Poivre en grains

Ce plat, c'est tout le bonheur de la Provence ! Il doit se confectionner avec beaucoup d'amour et se déguster entre amis… lesquels sont conviés à mettre la main à la pâte.

L'aïoli constitue un repas à lui seul. Il est ici préparé avec de la morue, mais tous les poissons cuits au court-bouillon conviennent.

Sud-Est

Sardines farcies aux épinards

Provence

Préparation : 15 à 20 minutes

Cuisson : 5 minutes

pour la farce

+ 10 minutes au four

1. Préparez les sardines. Passez-les sous l'eau courante, écaillez-les et videz-les, puis ouvrez et étalez chaque petit poisson sur du papier absorbant.
2. Lavez, triez, équeutez les épinards. Faites-les blanchir à l'eau bouillante. Égouttez, essorez.
3. Préchauffez le four à 210 °C (th. 7).
4. Pelez l'ail et l'oignon, hachez le premier, émincez le second. Mettez l'ail et le persil dans le bol d'un robot ménager. Mixez.
5. Dans une sauteuse, faites blondir l'oignon émincé, ajoutez le hachis de persil, puis les épinards grossièrement hachés. Salez, poivrez. Remuez. Laissez cuire 1 ou 2 minutes.
6. Huilez abondamment le fond d'un plat à gratin. Déposez sur chaque sardine un peu de farce. Roulez les poissons, fixez-les avec un bâtonnet et badigeonnez-les d'huile à l'aide d'un pinceau. Placez-les dans le plat à gratin et saupoudrez éventuellement de chapelure. Mettez au four et laissez cuire 10 minutes. Servez sans attendre.

Les sardines à la plancha, *spécialité de Saint-Jean-de-Luz, Ciboure, Socoa et Hendaye, sont vidées et huilées avant d'être « passées » des deux côtés sur la* plancha *brûlante. Elles se dégustent avec les doigts.*

Pour 6 personnes

24 sardines

1 kg d'épinards

1 oignon nouveau

2 gousses d'ail nouveau

1 botte de persil plat

1 verre d'huile d'olive

1 cuillerée à soupe

de chapelure sèche (facultatif)

Sel

Poivre

Soupe au pistou

Provence

Préparation : 30 minutes

Cuisson : 40 à 50 minutes

+ 15 minutes pour le pistou

Pour 6 personnes

200 g de haricots frais

250 g de haricots verts

3 carottes nouvelles

6 pommes de terre nouvelles

3 courgettes

4 navets nouveaux

2 petits poireaux

3 oignons nouveaux

2 tomates

1 bouquet garni (thym, laurier, tige de persil, feuille de céleri)

1 poignée de vermicelles ou de macaronis (facultatif)

Sel

Pour le pistou

4 gousses d'ail nouveau

1 gros bouquet de basilic

6 cuillerées à soupe d'huile d'olive

100 g de parmesan râpé

Sel

Poivre

1. Préparez tous les légumes. Coupez les pommes de terre en morceaux, les courgettes et les navets en dés, les poireaux, les carottes et les oignons en rondelles, les haricots verts en bâtonnets. Pelez et épépinez les tomates.

2. Versez une grande quantité d'eau dans une marmite, ajoutez les haricots écossés, le bouquet garni, salez. Portez à ébullition et laissez cuire 20 minutes. Ajoutez alors les pommes de terre et les carottes et laissez cuire 10 minutes. Ajoutez les oignons et les navets, laissez cuire 10 minutes. Ajoutez les poireaux, les courgettes et les tomates et éventuellement les pâtes et laissez cuire encore 10 minutes.

3. Pendant tout ce temps, préparez le pistou. Dans un mortier, mettez le basilic et l'ail pelé, du sel, du poivre et écrasez le tout au pilon jusqu'à l'obtention d'une pâte. Versez alors un filet d'huile d'olive, ajoutez un peu de parmesan, sans jamais cesser de piler. Poursuivez jusqu'à ce que le mélange devienne crémeux.

4. Juste avant de servir, versez le pistou dans la soupière contenant les légumes et servez aussitôt.

La garbure béarnaise, plus consistante, est agrémentée de lard, de palette ou de confit.

Gigot d'agneau provençal

Provence

Préparation : 30 minutes

Repos : 1 heure

Cuisson : 45 minutes environ

1. Pelez les 4 gousses d'ail, coupez-les en deux ou trois selon leur grosseur. Ôtez le germe si nécessaire. Dans un mortier, pilez 1 gousse d'ail avec les herbes, du gros sel, du poivre. Ajoutez le vin blanc et l'huile d'olive. Coupez les autres gousses en lamelles.

2. À l'aide d'un couteau d'office, pratiquez sur tout le gigot des petites entailles assez profondes. Dans chacune d'elles, glissez un éclat d'ail. Puis, avec les mains, enduisez le gigot de marinade en le massant pour que celle-ci pénètre bien. Recouvrez-le d'un film alimentaire et laissez-le reposer ainsi 1 heure au minimum à température ambiante.

3. Préchauffez le four à 210 °C (th. 7).

4. Quand le gigot est bien imprégné de marinade, posez-le dans le plat à rôtir beurré ou huilé. Ajoutez la tête d'ail coupée en deux.

5. Mettez au four et laissez rôtir 10 minutes d'un côté, puis 10 minutes de l'autre. Baissez la température du four à 180 °C (th. 6) et laissez la cuisson se poursuivre 20 minutes. Retournez la pièce, arrosez d'un peu de vin blanc si nécessaire, et laissez cuire encore de 10 à 15 minutes. Éteignez le four. Entrouvrez la porte et laissez reposer la viande 15 minutes.

6. Découpez le gigot à table, devant les convives. Commencez par séparer la chair de l'os des deux côtés, puis coupez les deux pièces verticalement comme pour un rôti. Servez aussitôt les tranches dans les assiettes chaudes, accompagnées éventuellement de ratatouille.

Pour 6 personnes

1 beau gigot

1 tête d'ail + 4 gousses

Thym

Laurier

Sarriette

Basilic

3 cuillerées à soupe d'huile d'olive + 1 cuillerée à soupe d'huile ou 1 noix de beurre pour le plat

1/2 verre à moutarde de vin blanc sec

Gros sel

Poivre

Dans le Massif central, le gigot peut se cuire à la cocotte très longtemps. Comme en Provence, il est piqué d'ail, puis revenu à graisse d'oie, avant d'être mouillé avec du bouillon de volaille. Il mijote ensuite de 4 à 5 heures. Il est alors presque confit. En Bretagne, comme dans le Béarn, il se sert avec des haricots secs.

Artichauts à la barigoule

Provence

Préparation : 45 minutes

Cuisson : 1 heure

Pour 6 personnes

24 artichauts poivrades

3 oignons nouveaux

3 carottes nouvelles

3 gousses d'ail

1 botte de basilic

1 branche de thym

1 feuille de laurier

3 citrons

3 cuillerées à soupe

d'huile d'olive

1 verre de vin blanc sec

(de Provence)

Sel

Poivre

1. Ôtez les feuilles sur la tige et les deux premières rangées des artichauts. Coupez la tige en laissant 4 cm environ, puis sectionnez à l'aide de ciseaux les crêtes des feuilles (sur 1 cm environ). Écartez-les, ôtez le foin si nécessaire.

2. Pelez la tige et le fond des artichauts à l'aide d'un petit couteau très bien aiguisé. Passez 1/2 citron sur la base de chaque artichaut, puis réservez-les, l'un après l'autre, dans de l'eau fraîche additionnée du jus de 2 citrons (afin d'éviter qu'ils noircissent).

3. Pelez les carottes et les oignons et coupez-les en très fines rondelles.

4. Dans une cocotte, faites chauffer l'huile d'olive et faites-y blondir à feu moyen les carottes et les oignons.

5. Égouttez et essuyez les artichauts, disposez-les les uns à côté des autres, tige en l'air, dans la cocotte. Ajoutez le thym émietté, le laurier, le bouquet de basilic, les gousses d'ail en chemise. Versez le vin blanc, salez et poivrez. Couvrez. Laissez cuire ainsi 15 minutes sur feu moyen.

6. Vérifiez la cuisson, ajoutez de l'eau si nécessaire et laissez cuire sur feu très doux de 45 minutes à 1 heure.

7. Les artichauts à la barigoule sont prêts quand il est possible de les transpercer aisément à l'aide d'une aiguille à brider.

En Bretagne, les artichauts camus sont tout simplement cuits à l'eau bouillante ou à la vapeur. Ils s'accompagnent de vinaigrette. Les fonds servent de base à de nombreux après.

Sud-Est

Beurre de Montpellier

Languedoc-Roussillon

Préparation : 10 minutes

1. Dessalez les anchois sous l'eau courante. Enlevez les arêtes. Réservez.
2. Faites bouillir de l'eau légèrement salée. Hors du feu, jetez-y le cresson, le persil, les épinards, le cerfeuil, l'estragon. Couvrez. Laissez infuser quelques secondes. Égouttez, essorez et épongez pour enlever le maximum d'eau. Pelez l'ail et l'échalote.
3. Dans le bol d'un robot ménager, mettez toutes les herbes avec l'échalote, l'ail et le thym, ainsi que les cornichons, les câpres et les anchois. Mixez. Ajoutez le beurre, mixez encore jusqu'à ce que la pâte soit bien homogène. Versez l'huile d'olive, mixez à nouveau.
4. Gardez le beurre au frais jusqu'au moment de le servir avec des poissons grillés ou des viandes froides.

Cette merveille a plusieurs variantes : beurre au basilic, au persil, à la ciboulette… selon les arrivages sur le marché. Le beurre d'ail n'en est qu'une pâle copie.

Pour 6 personnes

100 g de cresson

50 g de pousses d'épinards

1 bouquet de cerfeuil

1 bouquet de persil

3 branches d'estragon

2 gousses d'ail

1 échalote

1 branche de thym

300 g de beurre

2 cornichons au vinaigre

1 cuillerée à soupe de câpres

5 filets d'anchois au sel

2 cuillerées à soupe d'huile d'olive

1 cuillerée à café de sel

Fiadone

Corse

Préparation : 30 minutes

Cuisson : 30 minutes

Pour 6 personnes

400 g de broccio frais

5 œufs

120 g de sucre semoule

1 citron

1 cuillerée à café d'huile

ou 1 noix de beurre

1. Préchauffez le four à 150 °C (th. 5).

2. Mettez le fromage dans une mousseline ou une gaze et laissez-le s'égoutter.

3. Prélevez, à l'aide d'un couteau-économe, le zeste du citron. Faites-le blanchir 3 minutes à l'eau bouillante. Passez-le sous l'eau froide. Égouttez-le. Hachez-le très finement.

4. Cassez les œufs en séparant les jaunes des blancs. Versez le sucre sur les jaunes d'œufs et battez-les vivement à l'aide d'un fouet jusqu'à ce qu'ils blanchissent et qu'ils soient bien crémeux. Incorporez alors le zeste de citron et le fromage : le mélange doit devenir parfaitement homogène.

5. Battez les blancs d'œufs en neige ferme et ajoutez-les délicatement à la préparation précédente.

6. Huilez ou beurrez un moule à manqué. Versez-y la préparation au fromage. Mettez au four et laissez cuire 30 minutes. Laissez tiédir dans le moule avant de renverser le fiadone dans un plat de service.

7. Dégustez froid.

Le broccio peut être remplacé par du fromage de chèvre frais. Pensez cependant à l'égoutter dans une étamine, de la gaze, ou un chinois grille fine avant de l'utiliser.

Asperges poêlées

Midi-Pyrénées

Préparation : 5 minutes

Cuisson : 5 minutes

1. Si nécessaire, épluchez très légèrement les asperges. Faites-les pocher quelques minutes dans de l'eau bouillante salée, puis plongez-les dans de l'eau glacée. Égouttez-les, épongez-les.
2. Faites chauffer l'huile dans une poêle. Quand elle commence à fumer, jetez-y les asperges. Remuez et laissez-les colorer très légèrement.
3. Servez aussitôt avec de la fleur de sel et du poivre.

Pour 6 personnes

36 petites asperges

vertes et fines

2 cuillerées à soupe

d'huile d'olive

Fleur de sel

Poivre du moulin

Les asperges sauvages, fines et vertes, se dégustent en omelette dans les Corbières. Il est rare d'en trouver sur les marchés car la cueillette des asperges sauvages reste confidentielle, comme celle des cèpes et des truffes.

Sud-Ouest

Girolles sautées aux fines herbes

Périgord

Préparation : 15 minutes

Cuisson : 20 minutes

1. Coupez et jetez le bout terreux des champignons. Lavez les girolles dans plusieurs eaux vinaigrées, très rapidement pour ne pas les abîmer. Égouttez-les.

2. Faites chauffer 30 g de beurre dans une sauteuse et laissez-y dégorger les girolles 5 minutes. Égouttez-les à nouveau, jetez l'eau de végétation.

3. Dans la même sauteuse, mettez le reste du beurre avec l'échalote hachée, ajoutez les girolles, salez, poivrez. Faites-les sauter ainsi quelques minutes sur feu vif. Couvrez et laissez la cuisson s'achever de 15 à 20 minutes au feu doux.

4. Lavez, essorez le persil, ciselez-le.

5. Servez les girolles dans un plat chaud, saupoudrées de persil haché.

Pour 6 personnes

1,2 kg de girolles

1 échalote

1 bouquet de persil

60 g de beurre

Sel

Poivre

Les girolles accompagnent merveilleusement les volailles et les poissons. À peine cuites, mais débarrassées de leur eau, mélangez-les à de la crème fleurette salée, poivrée et réduite… Cette préparation se mariera parfaitement avec les œufs brouillés. Si vous disposez de peu de champignons, vous pouvez faire une simple omelette avec quelques têtes de girolles que vous aurez pris soin de faire dégorger et cuire avant utilisation.

Alose au four

Aquitaine

Préparation : 10 minutes

Cuisson : 30 minutes

1. Demandez à votre poissonnier de préparer le poisson.
2. Posez l'alose sur une grande feuille de papier d'aluminium ménager bien huilée.
3. Préchauffez le four à 180 °C (th. 6).
4. Lavez, essorez et équeutez l'oseille. Épluchez l'oignon, émincez-le. Farcissez l'alose avec l'oseille et l'oignon. Salez, poivrez, parsemez de morceaux de beurre.
5. Repliez le papier d'aluminium ménager en papillote. Mettez au four et laissez cuire de 20 à 30 minutes.

Pour 6 personnes

1 belle alose

500 g d'oseille

1 oignon

80 g de beurre

1 cuillerée à soupe d'huile

Sel

Poivre

Confit d'oie à l'oseille

Périgord

Préparation : 10 minutes
+ 15 à 20 minutes
pour dégraisser le confit
Cuisson du confit :
30 minutes + 5 minutes

Pour 6 personnes

3 cuisses de confit d'oie

6 bottes d'oseille tendre

1 bouquet de persil plat

1 bouquet de cerfeuil

10 cl de bouillon de volaille

(en cube)

Sel

Poivre

1. Préchauffez le four à 150 °C (th. 5).

2. Placez le bocal ouvert contenant les cuisses de confit dans le four tiède. Dès que la graisse a fondu, retirez les cuisses (en veillant à ne pas vous brûler). Essuyez-les avec du papier absorbant. Placez-les dans un plat à gratin et continuez à les laisser chauffer dans le four.

3. Pendant ce temps, lavez toutes les herbes, essorez-les. Équeutez l'oseille, faites-la blanchir, puis passez-la sous l'eau froide. Essorez-la, puis épongez-la avec du papier absorbant. Coupez-la grossièrement à l'aide de ciseaux.

4. Prélevez 1 cuillerée à soupe de graisse d'oie dans le pot d'origine. Mettez-la à fondre dans une cocotte sur feu doux. Ajoutez-y l'oseille, le bouillon de volaille, le persil et le cerfeuil ciselés, puis les cuisses de confit chaudes. Salez, poivrez. Couvrez et laissez ainsi 5 minutes, le temps que tous les goûts s'amalgament.

5. Coupez les cuisses en deux, disposez-les sur l'oseille et servez.

On a appris que « le bonheur est dans le pré » et que le confit n'est ni gras, ni lourd, aussi profitez-en en toutes saisons. En automne, il se sert avec des cèpes, en hiver, avec des pommes de terre.

Confiture de cerises

Pays basque

Préparation : 15 minutes

Cuisson : 10 à 15 minutes

1. Mélangez les fruits et le sucre dans une terrine.
2. Versez le tout dans une bassine ou une casserole. Au premier bouillon, retirez du feu.
3. Écumez, reportez sur le feu et laissez cuire 15 minutes. Écumez à nouveau si nécessaire.
4. Laissez refroidir avant de mettre en pots.

Pour 4 pots

1 kg de cerises noires dénoyautées et bien mûres

800 g de sucre semoule

Au Pays basque, les fromages de brebis, généralement de fabrication artisanale, s'accompagnent de confiture de cerises noires, si possible d'Itxassou. Seul le fromage de brebis ossau-iraty, fabriqué dans les Pyrénées-Atlantiques, bénéficie d'une AOC.

Marchés d'été

Finie la légèreté un peu acide du printemps.
L'été flamboyant et paresseux étale les généreux produits du sud de la France.

Sur les marchés d'été, les framboises, les cassis, les mûres et les myrtilles remplacent peu à peu les fraises. Seules subsistent l'incomparable fraise des bois (à déguster sauvage si possible, car trop fragile pour être manipulée), la ronde mara des bois, au parfum subtil et étonnant, qui voyage mal et ne se trouve que dans le Sud-Ouest. La selva, la bogota seront les dernières sur le marché. Tous ces petits fruits forment une ceinture rouge qui va de l'Aquitaine à l'Ardèche en passant par la Bourgogne. Plus au nord, en Alsace, les mûres et les myrtilles, cueillies et aussitôt transformées en confiture, ont acquis leur titre de noblesse, tout comme les groseilles de Bar-le-Duc, aujourd'hui encore épépinées à la main par les éleveurs : ainsi traitées, elles deviennent l'une des plus prestigieuses et plus luxueuses confitures au monde.

Abricots, pêches (blanche ou jaune), nectarines et brugnons s'alignent en d'intenses camaïeux allant du jaune pâle au rouge sur les marchés du sud-est de la France. Originaires du Languedoc, du Roussillon, des régions Rhône-Alpes ou Provence-Côte d'Azur, les abricots annoncent la couleur. Le lambertin est le plus précoce, suivi du ravissant rouge du Roussillon, qui est petit et parsemé de taches de rousseur ; le bergeron, plus acidulé et plus tardif, est parfait pour les compotes et les confitures. Il existe de nombreuses variétés d'abricots et certaines, consommées sur place, ne dépassent jamais le verger du propriétaire. Ce fruit resplendissant a une vie très courte, mais

Pour choisir le raisin, il faut veiller à ce que les grains ne soient pas ridés et qu'ils ne se détachent pas tout seuls de la grappe.

séché, confit, transformé en compote ou en confiture, il nous accompagne tout au long de l'année.

Les innombrables pêches jaunes ou blanches poussent elles aussi au soleil. La réputation des

pêches blanches, plus fragiles donc plus précieuses, a longtemps fait de l'ombre à la bonne et solide pêche jaune. Aujourd'hui, elles se valent. De même, les nectarines (elles aussi à chair blanche ou jaune) ont cessé de se faire la guerre. Les brugnons, plus rustiques, ont leurs fervents supporters.

Tous ces fruits sont bien meilleurs cueillis à maturité. Ils exhalent alors un incomparable parfum. Achetez-les mûrs, sans taches, souples et en petites quantités. Consommez-les vite et ne les laissez jamais séjourner au réfrigérateur.

CI-DESSUS

Les amateurs devront
attendre l'été pour
se procurer les melons
lourds et sucrés
dont la peau souple
témoigne de la qualité.

CI-CONTRE

La saison des pêches
de vigne est très brève.
Ce fruit accompagne
parfaitement la volaille.

Les prunes sont à l'aise partout en France : la reine-claude dans le Tarn-et-Garonne et les environs de Moissac et de Montauban, la quetsche en Alsace, la mirabelle en Lorraine, et les prunes d'Ente dans le Sud-Ouest : séchées au soleil, ces dernières donnent les pruneaux d'Agen.

La figue pousse partout, même à Paris. Mais la plus célèbre est originaire du Sud : la violette de Sollies mûrit dans le village du même nom, dans le Vaucluse.

De tous les raisins de table, seul le chasselas de Moissac aux grains dorés bénéficie d'une appellation d'origine contrôlée. On peut commencer à s'en procurer à partir du 15 août. Dans le Vaucluse, le muscat l'a précédé d'une ou deux semaines. L'alphonse-lavallée est un raisin noir de Méditerranée. Ses grappes généreuses accompagnent toute corbeille de fruits qui se respecte, de la mi-août jusqu'à la Sainte-Catherine. Le raisin annonce l'automne... Les noix et les noisettes du Périgord vont clore l'été.

Les légumes nous ont comblés de bonheur au printemps mais, dès juillet, saluons l'aubergine alors à pleine maturité. Ce glorieux légume-fruit fut longtemps mal-aimé, mais il a fini par s'implanter dans la région de Barbentane.

Comment parler d'aubergine sans penser à la rouge tomate. Provençale, bien sûr, mais qui ne doit pas faire oublier la belle de Saint-Pierre de Marmande, dans le Sud-Ouest. Les tomates en grappes viennent surtout de Sicile, mais la Bretagne n'a pas dit son dernier mot et commence à les produire.

Le melon, dès la fin juin, tient la vedette sur les marchés. Longtemps régal des papes et des rois, il est devenu le plus démocratique des produits de l'été. Le cantaloup-charentais, partout cultivé en France,

*À l'étal des marchés
sachez choisir parmi
tous les légumes proposés
ceux du terroir.*

est le premier à montrer sa rondeur et sa juteuse chair orange. Son cousin germain, le charentais, à la peau rugueuse brodée en relief, est lui aussi cultivé partout. Le galia, plus aqueux, à l'écorce plus orangée, à la chair vert clair, lui fait une petite concurrence. Son territoire n'a aucune limite, du moins en France. Les melons méditerranéens, de forme plus allongée, arrivent eux aussi en juillet et vont perdurer jusqu'en novembre. Leur pulpe très sucrée est délicatement blanche pour les canaris et verte pour les vert olive. Avec un peu de chance, vous en trouverez près de

Marseille à Noël. Une exception à ces adeptes du tout-terrain, du « tout climat » ou presque : le savoureux petit gris de Rennes. Il a failli disparaître, victime du succès des autres. Récemment réhabilité par quelques producteurs, on le trouve dans sa région : aux amateurs de le redécouvrir...

Les poivrons rougissent au soleil. Qu'ils soient verts, rouges, jaunes ou presque noirs, ils sont plus digestes une fois pelés. Pour cela, faites-les griller au four jusqu'à ce que leur peau se boursoufle. Il est alors très facile de la retirer.

La culture des poivrons et des piments, traditionnelle dans le sud de la France, reste attachée à un terroir. La preuve en est leurs noms : petit marseillais, antibois. À Espelette, au Pays basque, les piments cueillis fin septembre sont attachés en guirlande et exposés en plein soleil sur les façades des maisons où ils finissent par devenir d'un rouge profond. Séchés et pilés, ils sont utilisés comme du poivre. Dans la même région, la piperade est réalisée avec un petit piment doux et mince, d'une belle couleur verte, qui ne pousse que dans les environs de Bayonne.

La courgette, habituellement verte, ferme et longue, se retrouve à Nice toute ronde et bien nervurée de blanc. Elle sert à composer les petits farcis.

À Lautrec, près d'Albi, en Gascogne, l'ail est récolté en juillet et mis à sécher quinze jours avant

La cote des tomates en grappe ne cesse de monter. Elles envahissent tous les marchés. Plus fermes, elles sont de meilleure qualité à la fin de l'été et au début de l'automne.

d'être tressé en de belles grappes rose tendre. À Arleux, dans le Nord, un autre ail, rose à l'origine, va être lui aussi tressé, puis fumé. Mais on le trouve uniquement sur les marchés locaux.

Dès le mois d'août, les légumes verts commencent à perdre de leur superbe : haricots verts, petits pois, pois gourmands se ratatinent doucement. Il ne reste que les mange-tout blonds, surtout récoltés en Aquitaine, qui précèdent les haricots frais à écosser : ceux de Paimpol, en Bretagne, les magnifiques tarbais et les jolis soissons qui annoncent l'automne.

En été, le Sud est le grand favori des gourmands. Si ces fruits et ces légumes sont d'abord issus d'un terroir, on peut les trouver partout en France. Choisissez-les pour leur beauté, mais également pour leur provenance, leur goût et leur histoire. Mariez-les avec les pintades du Sud-Ouest, plus grasses et plus belles au mois d'août, les petits anchois de Collioure, le thon de Saint-Jean-de-Luz, les rougets de Marseille, les maquereaux de Bretagne ou encore les tourteaux, seuls crustacés de l'été qui méritent de finir dans nos assiettes.

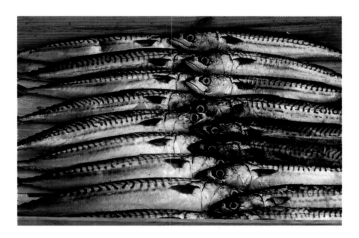

Mure de l'Ardêche
Très Doux
12 F la barquette

FRAMBOISES ARDÊCHE
Poids Net 250g

FRAMBOISES ARDÊCHE
Poids Net 250g

Maquereaux au vin blanc

Picardie

Préparation : 20 minutes

Réfrigération : 12 heures

Cuisson : 15 minutes

Pour 6 personnes

6 maquereaux

2 beaux oignons

2 carottes

1 citron

1 feuille de laurier

1 branche de thym

10 grains de poivre

1 clou de girofle

50 cl de vin blanc sec

1 sachet de court-bouillon

Sel

1. Demandez à votre poissonnier de vider les maquereaux sans abîmer les têtes. Épongez les poissons dans du papier absorbant.

2. Préchauffez le four à 180 °C (th. 6).

3. Pelez et coupez les carottes en rondelles. Taillez le citron en rondelles. Épluchez les oignons, émincez-les.

4. Disposez les maquereaux dans un plat à gratin ou une terrine, saupoudrez-les de court-bouillon en sachet. Ajoutez les rondelles de carottes et de citron, les oignons, les grains de poivre, le clou de girofle, le laurier, le thym. Salez très modérément. Mouillez avec le vin en complétant avec un peu d'eau pour juste couvrir les poissons.

5. Mettez au four et laissez cuire 15 minutes. Arrosez de temps en temps et vérifiez la cuisson des maquereaux qui doivent rester bien fermes.

6. Sortez le plat du four. Couvrez-le d'une feuille de papier d'aluminium ménager. Laissez tiédir à température ambiante, puis gardez 12 heures au minimum au réfrigérateur.

   Ainsi préparés, les maquereaux se conservent quelques jours au réfrigérateur.

Lisettes de Dieppe, anchois et sardines fraîches peuvent aussi être préparés de la sorte. Si les poissons sont tout petits et très frais, versez par-dessus le vin bouillant et ne les mettez pas au four. Attendez qu'ils aient refroidi pour les déguster.

Côte de bœuf
des halles de Paris

Ile-de-France

Cuisson : 2 minutes
de chaque côté à la poêle
+ 15 à 20 minutes au four

Pour 6 personnes
2 belles côtes de bœuf
bien épaisses d'environ
600 g chacune
2 cuillerées à soupe
de vinaigre de vin
Gros sel
Poivre du moulin

1. Si vous avez décidé de cuire les côtes de bœuf dans la cheminée ou au barbecue, veillez à n'avoir, au moment de la cuisson, que des braises.

2. Disposez les côtes de bœuf sur le gril (mises au préalable à température ambiante) et posez celui-ci au-dessus des braises. Surveillez de près les pièces de viande et retournez-les à mi-cuisson.

3. À défaut de cheminée ou de barbecue, procédez de la façon suivante. Sortez les côtes de bœuf du réfrigérateur 2 heures avant de les cuire.

4. Préchauffez le four à 240 °C (th. 8).

5. Dans une poêle, faites saisir les pièces de bœuf de chaque côté. Posez-les sur la grille du four au-dessus de la lèchefrite. Mettez au four et laissez cuire de 15 à 20 minutes (selon l'épaisseur et le goût désiré). Retournez à mi-cuisson.

6. Sortez les côtes, recouvrez-les d'une feuille de papier d'aluminium ménager et laissez-les reposer ainsi de 10 à 15 minutes, à l'entrée du four.

7. Sur une planche, désossez chaque pièce, débitez en tranches, salez, poivrez, arrosez d'un filet de vinaigre. Présentez sur des assiettes chaudes et accompagnez de frites bien dorées et moelleuses.

À Bordeaux, entrecôte et côte de bœuf sont servies à la bordelaise, c'est-à-dire accompagnées d'une sauce au vin et aux échalotes et présentées avec un os à moelle juste poché, dont la substance aura été découpée en fines lamelles.

La viande rouge est un régal à condition de respecter certains principes. Sortez la viande du réfrigérateur plusieurs heures avant de la cuire, elle n'en sera que plus tendre. Il faut aussi, après cuisson (au gril ou au four), la laisser se détendre avant de la présenter : gardez-la au chaud 10 à 15 minutes à l'entrée du four, recouverte d'aluminium ménager et d'un torchon plié en deux, pendant 10 à 15 minutes.

Nord-Est

Tarte aux mirabelles

Lorraine

Préparation : 20 minutes

Cuisson : 30 minutes

1. Lavez, essuyez, puis dénoyautez les fruits.
2. Sur un plan de travail légèrement fariné, étendez la pâte au rouleau à pâtisserie.
3. Préchauffez le four à 210 °C (th. 7).
4. Beurrez abondamment un moule à tarte de 22 cm de diamètre et garnissez-le avec la pâte. Piquez le fond avec une fourchette, puis saupoudrez de semoule. Disposez les fruits dessus, saupoudrez de sucre.
5. Mettez dans le four à 210 °C (th. 7) et laissez cuire 15 minutes, puis baissez la température à 180 °C (th. 6) et laissez cuire 15 minutes. Servez tiède.

Pour 6 personnes

300 g de pâte brisée

400 g de mirabelles

5 cuillerées à soupe de sucre en poudre

1 cuillerée à soupe de farine

1 cuillerée à soupe de semoule de blé dur

1 noisette de beurre

Compote de quetsches

Alsace

Préparation : 20 minutes

Repos : 10 minutes

Cuisson : 30 minutes au maximum

1. Lavez et équeutez les prunes, coupez-les en deux et ôtez le noyau.
2. Versez les fruits dans un grand saladier, saupoudrez de sucre, ajoutez la pincée de sel et enfoncez la gousse de vanille coupée en deux dans le sens de la longueur. Remuez, laissez reposer 10 minutes à température ambiante.
3. Mettez les quetsches dans une grande casserole à fond épais et laissez cuire 30 minutes à découvert et sur feu doux. Surveillez que les fruits n'accrochent pas.
4. Servez la compote tiède ou fraîche, accompagnée de fromage blanc ou de biscuits.

Toutes les prunes, qu'elles soient du Tarn, de l'Ardèche ou de Moselle, peuvent être ainsi préparées.

Pour 6 personnes

1 kg de quetsches bien mûres

10 cuillerées à soupe de sucre en poudre

1 gousse de vanille

1 pincée de sel

Nord-Ouest

Haricots de Saint-Paul en salade

Bretagne

Préparation : 20 minutes

Cuisson : 30 à 40 minutes

Pour la vinaigrette

1 bouquet de persil

1 échalote

2 cuillerées à soupe

de vinaigre de vin

4 cuillerées à soupe

d'huile neutre

Gros sel, poivre

1. Écossez les haricots. Plongez-les 2 minutes dans de l'eau bouillante salée. Égouttez-les. Pelez les carottes et l'ail.
2. Mettez les haricots dans une cocotte avec l'oignon, les carottes, le bouquet garni et la gousse d'ail. Portez à ébullition, puis laissez cuire de 20 à 30 minutes. Goûtez. Si les haricots sont *al dente,* égouttez-les, sinon poursuivez encore un peu la cuisson.
3. Préparez la vinaigrette. Pelez l'échalote et hachez-la fin, ciselez le persil. Mélangez-les avec l'huile, le vinaigre, du gros sel et du poivre. Versez cette vinaigrette sur les haricots tièdes, mélangez délicatement. Servez.

Toutes sortes de haricots frais, et même des fèves, peuvent être accommodées ainsi. En hiver, ne renoncez pas à cette salade : utilisez des haricots secs que vous aurez fait tremper 24 heures avant de les cuire. Sachez enfin que les haricots se congèlent très bien une fois écossés.

Pour 6 personnes

1,5 kg de haricots frais

75 g de beurre

2 carottes

1 oignon piqué

de 1 clou de girofle

1 bouquet garni (thym,

laurier, persil, feuille de céleri

dans un vert de poireau)

1 gousse d'ail

Sel, poivre

Thon cocotte des pêcheurs

Bretagne

Préparation : 20 minutes

Cuisson : 30 minutes

1. Faites blanchir quelques secondes le thon à l'eau bouillante salée. Égouttez-le et réservez-le sur du papier absorbant.
2. Épluchez les carottes, écossez les petits pois, pelez et émincez les oignons.
3. Dans une grande cocotte, faites fondre le beurre dans l'huile chaude et faites-y revenir le thon des deux côtés (5 minutes). Retirez-le, remplacez-le par les oignons. Quand ils sont blonds, ajoutez les carottes, mélangez et couvrez. Laissez cuire ainsi 5 minutes sur feu doux.
4. Remettez le thon, mouillez avec le vin blanc. Salez, poivrez, laissez mijoter 15 minutes. Ajoutez les petits pois, les tomates pelées et épépinées, les gousses d'ail épluchées. Poursuivez la cuisson 10 minutes à feu doux.
5. Servez chaud accompagné de pommes de terre à l'anglaise.

Pour 6 personnes

1 ou 2 rouelles de thon
(1,2 kg environ)

1 kg de petits pois

500 g de carottes fanes

3 oignons nouveaux

4 tomates

3 gousses d'ail

40 g de beurre

1 cuillerée à soupe d'huile

35 cl de vin blanc sec

Sel

Poivre

Tourteaux

Bretagne

Cuisson : 40 à 50 minutes

1. Demandez à votre fournisseur de laver et brosser les tourteaux vivants.
2. Dans une très grande marmite, portez une grande quantité d'eau à ébullition avec les carottes, l'oignon, le bouquet garni, les grains de poivre et les piments oiseaux et laissez cuire 20 minutes au maximum.
3. Baissez le feu, plongez les tourteaux dans le bouillon. Couvrez et laissez cuire de 20 à 30 minutes.
4. Sortez les crabes, rafraîchissez-les à l'eau froide et dégustez-les tièdes avec une mayonnaise.

Par personne

1 tourteau vivant

1 ou 2 carottes

1 oignon

1 bouquet garni
(thym, laurier)

2 piments oiseaux pilés

5 grains de poivre

Vous pouvez acheter le court-bouillon déjà prêt, en sachet. Mais certains chefs ne jurent que par l'eau bouillante salée pour cuire les crustacés !

Centre

Oseille frite

Centre

Préparation : 10 minutes

Repos : 2 heures

Cuisson : 1 à 2 minutes

1. Triez l'oseille. Passez chaque feuille sous l'eau, recouvrez-les de papier absorbant et pressez délicatement dessus pour enlever l'eau.
2. Tamisez la farine avec la levure au-dessus d'un grand saladier. Formez un puits et mettez-y l'œuf, le lait tiédi, du sel et du poivre. Mélangez intimement le tout au fouet ou à la spatule. Si le mélange est trop épais, ajoutez un peu de lait tiède. Laissez reposer 2 heures à température ambiante.
3. Faites chauffer l'huile de friture dans une grande sauteuse. Trempez les feuilles une à une dans la pâte, puis plongez-les, toujours une à une, dans l'huile. Dès qu'elles sont blondes, retirez-les à l'aide d'une écumoire. Épongez-les sur du papier absorbant.
4. Salez et servez aussitôt.

Pour 6 personnes

30 feuilles environ d'oseille bien tendres

100 g de farine

12 cl de lait

1 œuf

1 pincée de levure chimique

Huile pour la friture

Sel

Poivre

Pintade aux pêches de vigne

Bourgogne

Préparation : 15 minutes

Cuisson : 1 heure 30

1. Préchauffez le four à 210 °C / 230 °C (th. 7/8).
2. Beurrez largement un grand plat à four. Fourrez l'intérieur des pintades avec quelques branches de thym et 1 gousse d'ail en chemise. Enduisez chacune d'elles de beurre. Salez, poivrez. Posez-les dans le plat, mettez au four et laissez cuire 1 heure 30.
3. Faites pocher 1 ou 2 minutes les pêches de vigne dans de l'eau bouillante, puis plongez-les aussitôt dans l'eau glacée afin de pouvoir les éplucher facilement sans les abîmer. Coupez-les en deux et dénoyautez-les.
4. Arrosez les pintades régulièrement en cours de cuisson. 30 minutes avant la fin de la cuisson, ajoutez les demi-pêches. Continuez à arroser de temps en temps.
5. Servez les volailles entourées des fruits.

Pour 6 personnes

2 pintades

6 pêches de vigne

100 g de beurre

2 gousses d'ail

Thym

Sel

Poivre

Les coteaux lyonnais sont la terre de prédilection des pêches de vigne qui atteignent leur maturité à la fin de l'été, au moment des vendanges. Dommage pour l'histoire, ce n'est pas la vigne qui leur donne cette belle couleur sanguine, mais des pigments rouges. Leur chair, délicate et parfumée, semble avoir séjourné dans du vin. Ces pêches sont délicieuses crues. Il faut les acheter parfaitement mûres et les déguster rapidement car elles se conservent mal.

Centre

Tarte aux prunes

Limousin

Préparation : 20 minutes

Cuisson : 25 à 30 minutes

1. Préchauffez le four à 210 °C (th. 7).

2. Huilez ou beurrez le moule à tarte et placez-le au réfrigérateur.

3. Lavez, essuyez et dénoyautez les prunes. Réservez-les.

4. Divisez la pâte en deux parts inégales. Sur un plan de travail fariné, abaissez-les toutes les deux sur 3 mm d'épaisseur.

5. Tapissez le fond d'un moule de 28 cm de diamètre de la plus grande abaisse et humectez d'eau tout le pourtour. Disposez les prunes dedans et saupoudrez-les de sucre semoule.

6. Posez par-dessus la seconde abaisse, soudez-la à la première en pressant avec les doigts. Pratiquez un petit trou au centre et introduisez-y un petit rouleau de papier sulfurisé.

7. Battez l'œuf à la fourchette et, à l'aide d'un pinceau, badigeonnez-en le dessus de la pâte. Faites éventuellement de petites incisions au couteau pour réaliser un décor.

8. Mettez au four et laissez cuire de 25 à 30 minutes.

Pour 6 personnes

400 g de pâte brisée

1 kg de reines-claudes

120 g de sucre semoule

1 œuf

1 cuillerée à soupe de farine

1 cuillerée à soupe d'huile

ou 15 g de beurre

Salade niçoise

Provence

Préparation : 30 minutes

Pour 6 personnes

1. Coupez les tomates en quartiers, épépinez-les, salez-les, puis laissez-les reposer sur du papier absorbant. Pelez et émincez le concombre, salez-le et mettez les tranches dans une passoire.

2. Écossez les fèves, plongez-les 1 minute dans l'eau bouillante, puis passez-les aussitôt sous l'eau froide, et ôtez la peau. Égouttez-les. Lavez, essorez le basilic.

3. Dessalez les filets d'anchois sous l'eau courante, retirez l'arête centrale.

4. Coupez le poivron, ôtez le pédoncule et les graines, débitez-le en fines rondelles. Lavez et émincez les oignons en fines rondelles.

5. Coupez les artichauts en deux, ôtez le foin et citronnez-les.

6. Écalez les œufs durs et coupez-les en quartiers.

7. Pelez l'ail et frottez-en les parois d'un beau saladier en terre. Disposez dedans tous les ingrédients. Ajoutez les olives noires.

8. Préparez la sauce en mélangeant l'huile d'olive et le basilic ciselé. Salez, poivrez, ajoutez éventuellement du vinaigre. Versez la vinaigrette sur la salade et servez immédiatement.

La salade du Pays basque est plus simple : piments, oignons, poivrons (ou mieux, piments d'Espelette) sont accompagnés d'œufs durs et arrosés d'une vinaigrette.

3 œufs durs

6 tomates pas trop mûres

1 concombre moyen

300 g de fèves fraîches

6 artichauts poivrades

1 poivron vert

6 petits oignons nouveaux

1 bouquet de basilic

1 gousse d'ail nouveau

12 filets d'anchois au sel

100 g d'olives de Nice

(petites olives noires)

6 cuillerées à soupe

d'huile d'olive

2 cuillerées à soupe de vinaigre

de vin vieux (facultatif)

Sel

Poivre

Melon poivré
Provence

Préparation : 10 minutes

1. Coupez chaque melon en deux. Ôtez les pépins, évidez les fruits à l'aide d'une cuillère à soupe en faisant de gros copeaux.
2. Replacez les copeaux dans chaque demi-melon. Salez, poivrez.
3. Présentez chaque part dans une assiette creuse, remplie de glaçons pilés.

Banyuls, rivesaltes et autres vins cuits remplacent avec bonheur le très classique porto.

Pour 6 personnes

3 beaux melons

Fleur de sel

Poivre du moulin

Pissaladière
Provence

Préparation : 30 minutes

Cuisson : 30 minutes

pour les oignons

+ 15 à 30 minutes

pour la pissaladière

1. Épluchez les oignons, émincez-les très finement. Faites-les blondir très légèrement avec le bouquet garni dans 2 cuillerées à soupe d'huile d'olive, sur feu très doux. Salez.
2. Étalez la pâte à pain sur la plaque du four et laissez-la lever dans un endroit tiède.
3. Préchauffez le four à 210 °C (th. 7).
4. Quand elle a doublé de volume, étalez la pâte à nouveau et faites-la sécher 5 minutes dans le four chaud. Sortez-la.
5. Disposez les oignons dessus, puis les olives noires et enfin les anchois. Arrosez avec le reste d'huile d'olive, remettez dans le four à 240 °C (th. 8) et laissez cuire de 15 à 30 minutes selon l'épaisseur de la pâte.

La pissaladière doit son nom au pissalat, condiment préparé à base d'anchois pilés et malaxés avec de l'huile d'olive, dont on enduisait autrefois une simple pâte à pain. Celle-ci a été remplacée aujourd'hui par la pâte feuilletée.

Pour 6 personnes

350 g de pâte à pain

1 kg d'oignons

20 filets d'anchois à l'huile

30 olives noires

1 bouquet garni

3 cuillerées à soupe

d'huile d'olive

Sel

Poivre

Tapenade

Provence

Préparation :
25 minutes environ

1. Passez les anchois sous l'eau froide afin de les dessaler. Ôtez si nécessaire l'arête centrale. Rincez, égouttez les câpres.

2. Dans le bol d'un robot ménager, mettez les olives, les câpres, les anchois, mixez jusqu'à l'obtention d'une purée fine. Ajoutez l'ail pressé, poivrez. Mélangez le tout.

3. Montez la tapenade à l'huile d'olive comme une mayonnaise en ajoutant de temps en temps quelques gouttes de citron.

4. Quand la pâte est bien épaisse, la tapenade est prête. Mettez-la dans un pot ou un petit saladier, fermez, et conservez-la au réfrigérateur.

À cause des anchois, goûtez la tapenade avant de rectifier éventuellement l'assaisonnement en sel. Vous pouvez également ajouter quelques herbes de Provence, comme du thym.

La tapenade peut aussi se préparer avec des olives vertes. Elle est alors très différente, mais tout aussi bonne.

Pour 300 g de tapenade environ

250 g d'olives noires dénoyautées

3 ou 4 filets d'anchois au sel

2 cuillerées à soupe de câpres

4 cuillerées à soupe d'huile d'olive

2 gousses d'ail épluchées

1 citron

Poivre du moulin

Sauté de veau du Midi

Provence

Préparation : 30 minutes

Cuisson : 1 heure

1. Détaillez le veau en cubes. Faites-les revenir dans une cocotte avec l'huile d'olive, salez, poivrez. Quand ils sont dorés, retirez-les et réservez-les dans un plat.

2. Pelez les oignons, émincez-les. Coupez la côte de céleri en tout petits dés. Ébouillantez quelques secondes les tomates pour pouvoir les peler plus facilement, épépinez-les.

3. Dans la même cocotte, mettez les oignons et le céleri. Remuez et laissez étuver. Ajoutez la chair des tomates, le bouquet garni et l'ail, puis replacez les cubes de veau à frémissement. Mouillez avec le vin blanc et complétez à hauteur avec un peu d'eau si nécessaire. Couvrez et laissez mijoter 1 heure sur feu très doux.

4. Juste avant de servir, ajoutez hors du feu 2 ou 3 cuillerées à soupe d'aïoli.

Remplacez l'huile d'olive par du beurre, le vin blanc par du cidre et l'aïoli par de la crème, et vous obtiendrez un sauté de veau normand.
En Poitou-Charentes, c'est le jarret de veau découpé en rouelles que l'on prépare à peu près de la même façon. Carottes et poireaux sont utilisés au lieu des oignons et du céleri-branche. Le vin blanc est remplacé par du pineau des Charentes.

Pour 6 personnes

1,2 kg de carré de veau

6 tomates

1 botte d'oignons nouveaux

1 côte de céleri-branche

1 gousse d'ail

1 bouquet garni

(thym, laurier, tige de persil, feuille de céleri)

20 cl de vin blanc sec

30 cl d'aïoli

(voir recette p. 30)

2 cuillerées à soupe

d'huile d'olive

Sel

Poivre

Sud-Est

Petits farcis provençaux

Provence

Préparation : 1 heure

Cuisson : 45 minutes

à 1 heure

Pour 6 personnes

12 petites tomates

12 oignons nouveaux

12 courgettes rondes de Nice

2 gousses d'ail

1 bouquet de persil

Pour la farce

130 g de chair à saucisse

130 g de viande (restes) hachée

60 g de parmesan

2 œufs

1 bouquet de basilic

2 tomates

2 oignons

6 cuillerées à soupe de chapelure

1 cuillerée à soupe de fleur de thym

1 morceau de sucre

Huile d'olive

Sel

Poivre du moulin

1. Essuyez les tomates, les oignons, les courgettes. Décalottez, évidez soigneusement les tomates. Réservez les chapeaux. Ôtez les graines et gardez la chair. Salez l'intérieur des tomates et retournez-les sur du papier absorbant. Découpez le pédoncule de chaque courgette sur un tiers. Réservez ces chapeaux. Évidez les courgettes, conservez la chair. Épluchez chaque oignon, puis évidez-les sans entamer le pourtour. Réservez la chair. Pelez chaque gousse d'ail. Hachez-les finement avec le persil. Réservez.

2. Portez à ébullition une grande quantité d'eau salée et faites-y blanchir les courgettes de 5 à 6 minutes. Sortez-les à l'aide d'une écumoire et plongez-les aussitôt dans une grande quantité d'eau glacée. Retournez-les sur du papier absorbant.

3. Préparez la farce. Hachez finement la chair réservée des courgettes et des oignons. Faites revenir les oignons dans l'huile d'olive 10 minutes sur feu doux. Ajoutez l'émincé de courgettes, salez, poivrez. Laissez cuire 3 ou 4 minutes, puis incorporez la pulpe des tomates et le morceau de sucre. Laissez réduire 10 minutes.

4. Dans un saladier, mélangez la chair à saucisse et la viande hachée, salez, poivrez, incorporez la persillade, la fleur de thym, le basilic, 4 cuillerées à soupe de chapelure, le parmesan et les œufs. Versez la compotée de légumes. Remuez.

5. Préchauffez le four à 180 °C (th. 6).

6. Remplissez les tomates, courgettes et oignons avec la farce. Disposez-les dans un grand plat ovale bien huilé et posez les chapeaux entre les légumes. Saupoudrez chaque farci du reste de chapelure en ajoutant à chaque fois 1 goutte d'huile d'olive.

7. Mettez au four en prenant soin de placer un bol rempli d'eau à côté du plat. Laissez dorer de 15 à 20 minutes.

8. Servez chaud ou tiède après avoir restitué son chapeau à chaque légume.

Ratatouille niçoise

Provence

Préparation : 30 minutes

Cuisson : 45 minutes environ

Pour 6 personnes

3 petites aubergines

1 gros oignon doux

2 gousses d'ail

6 tomates

3 courgettes

1 poivron rouge

1 poivron vert

1 bouquet garni

(1 feuille de laurier,

2 branches de thym,

5 tiges de persil,

1 feuille de céleri)

1 bouquet de basilic

1 cuillerée à café de sucre

en poudre

3 cuillerées à soupe

d'huile d'olive

Sel, poivre

Câpres et olives noires

(facultatif)

1. Essuyez les aubergines. Coupez-les en grosses rondelles. Saupoudrez-les de sel. Mettez-les dans une passoire et laissez-les dégorger 1 heure. Rincez-les très rapidement sous l'eau, essuyez-les.

2. Pelez et épépinez les tomates, hachez-les grossièrement. Réservez-les. Lavez et essuyez les courgettes, débitez-les en rondelles. Épluchez et émincez l'oignon. Faites griller les poivrons, pelez-les.

3. Dans une sauteuse, faites chauffer l'huile d'olive et faites-y dorer les aubergines. Réservez-les sur du papier absorbant.

4. Ajoutez un peu d'huile dans la sauteuse et faites-y revenir d'abord l'oignon, puis les tomates avec du sel, du poivre et du sucre.

5. Dans une seconde sauteuse, faites revenir à l'huile d'olive les courgettes jusqu'à ce qu'elles colorent.

6. Dans la sauteuse où les tomates commencent à compoter, ajoutez les aubergines, les courgettes, l'ail pelé et le bouquet garni. Laissez mijoter 10 minutes. Ajoutez les poivrons et laissez la cuisson se poursuivre encore 5 minutes.

7. Servez chaud ou froid, saupoudré de basilic ciselé. Présentez éventuellement avec des olives noires et des câpres.

La piperade est la variante basque de la ratatouille.

Préparez la ratatouille niçoise en grande quantité, et faites-en des conserves. Pour cela, égouttez la ratatouille à travers un chinois fin afin d'éliminer le maximum d'huile d'olive. Répartissez-la dans des bocaux de taille moyenne, et faites stériliser 45 minutes environ.

Pêches au muscat
de Beaumes-de-Venise

Provence

Préparation : 10 minutes

Repos : 2 heures au minimum

1. Faites bouillir une casserole d'eau. Pendant ce temps, préparez un récipient d'eau glacée.

2. Plongez les pêches une à une quelques secondes dans l'eau bouillante. Sortez-les à l'aide d'une écumoire, puis plongez-les aussitôt dans l'eau glacée. Coupez-les en deux, ôtez le noyau, pelez-les.

3. Rassemblez toutes les demi-pêches dans un saladier. Saupoudrez de sucre. Versez le muscat de Beaumes-de-Venise. Mélangez délicatement.

4. Entreposez les fruits quelques heures au réfrigérateur avant de les servir, non glacés, dans des coupes individuelles. Décorez de quelques framboises fraîches.

Tous les vins cuits conviennent à cette préparation, mais restez modeste sur la quantité à utiliser.

Pour 6 personnes

6 belles pêches jaunes

1 barquette de framboises

25 cl de muscat
de Beaumes-de-Venise

60 g de sucre

Tarte aux nectarines

Provence

Préparation : 15 minutes

Repos de la pâte : 1 heure

Cuisson : 30 minutes environ

1. Beurrez un moule à tarte de 22 cm de diamètre. Étalez-y la pâte et piquez-la avec une fourchette. Réservez 1 heure au réfrigérateur.

2. Ouvrez les fruits en deux, dénoyautez-les, puis coupez-les en quatre ou six.

3. Préchauffez le four à 180 °C (th. 6). Sortez le fond de tarte du réfrigérateur, saupoudrez-le de semoule. Disposez les nectarines dessus en alternant un côté chair, un côté peau. Saupoudrez de sucre semoule. Mettez au four et laissez cuire 30 minutes. Servez tiède.

Pour 6 personnes

300 g de pâte sablée

6 nectarines

1 cuillerée à soupe de semoule

4 cuillerées à soupe
de sucre semoule

1 noisette de beurre

Sud-Est

Crémets aux fruits rouges

Provence

Préparation : 20 minutes

Repos : quelques heures

1. Fouettez la crème fleurette en chantilly à l'aide d'un batteur électrique. Réservez au frais.
2. Battez le fromage blanc à l'aide d'une spatule. Montez les blancs d'œufs en neige ferme avec la pincée de sel, en y incorporant petit à petit le sucre.
3. Mélangez délicatement à la spatule souple la crème Chantilly et le fromage blanc, puis incorporez avec précaution les blancs en neige.
4. Étalez une fine mousseline dans une passoire, versez-y la préparation. Posez la passoire sur une assiette creuse et laissez s'égoutter quelques heures au réfrigérateur.
5. Démoulez et servez avec des fruits rouges frais : groseilles, fraises, framboises, etc.

Pour 6 personnes

250 g de fromage blanc

150 g de crème fleurette

2 blancs d'œufs

80 g de sucre semoule

1 pincée de sel

Les crémets sont originaires d'Anjou, mais les Provençaux les ont adoptés et adaptés.

Cette délicieuse préparation peut être remplacée par les délicats fontainebleaux, que vous trouverez en été chez les fromagers.

Tian de pêches

Provence

Préparation : 20 minutes

Cuisson : 30 à 35 minutes

1. Mettez les raisins secs à macérer dans l'alcool.
2. Préchauffez le four à 180 °C (th. 6).
3. Dans une casserole, faites bouillir de l'eau, plongez-y les pêches quelques secondes pour les peler facilement. Coupez-les en deux, ôtez le noyau.
4. Dans une sauteuse, faites rissoler dans le beurre les tranches de pain des deux côtés. Étalez-les côte à côte dans un plat à gratin, ou tian.
5. Égouttez les raisins secs en récupérant le liquide de macération. Répartissez-les sur les tranches de pain. Posez dessus les demi-pêches.
6. Dans une jatte, battez les œufs avec le sucre, ajoutez le lait petit à petit, puis le liquide de macération des raisins secs. Versez ce mélange sur les fruits.
7. Mettez au four et laissez cuire de 30 à 35 minutes : la crème doit être prise. Laissez tiédir, badigeonnez chaque pêche de confiture d'abricots légèrement fondue et servez.

Abricots, nectarines, brugnons et prunes peuvent être ainsi accommodés.

Pour 6 personnes

6 belles pêches

100 g de beurre

50 cl de lait

3 œufs

6 tranches de pain

rassis écroûtées

1 poignée de raisins secs

1 verre de cognac

(ou autre alcool)

100 g de sucre

2 cuillerées à soupe

de confiture d'abricots

Figues au vin

Provence

Sud-Est

Préparation : 10 minutes

Cuisson : 20 minutes

1. Râpez les zestes de 3 oranges et de 1 citron. Pressez tous les agrumes pour en recueillir le jus.

2. Essuyez délicatement chaque figue. Posez-les côte à côte dans une casserole très large ou une sauteuse en veillant à ce qu'elles ne se chevauchent pas. Saupoudrez de sucre et de zestes. Versez le jus des agrumes et le vin. Ajoutez le bâton de cannelle et la gousse de vanille coupée en deux dans la longueur.

3. Portez à ébullition sur feu vif, puis laissez cuire 20 minutes sans couvrir.

4. Retirez les figues à l'aide d'une écumoire. Déposez-les délicatement dans un plat ou une coupe de service. Faites réduire le liquide de cuisson de moitié. Filtrez-le, versez-le sur les figues.

5. Laissez refroidir avant de mettre les figues dans le réfrigérateur. Servez très frais.

Pour 6 personnes

12 figues

3 oranges

3 citrons

75 cl de vin rouge

200 g de sucre semoule

1 bâton de cannelle

1 gousse de vanille

En Alsace, les poires et les quetsches sont préparées de la même manière.

Poivrons en terrine

Aquitaine

Préparation : 10 minutes

Repos : 2 heures

Cuisson : 20 à 45 minutes

Pour 6 personnes

3 poivrons rouges

3 poivrons verts

2 branches de thym

2 gousses d'ail

1 feuille de laurier

Huile d'olive

Sel

Poivre

Citrons et vinaigre

(facultatif)

1. Préchauffez le four à 180 °C (th. 6).

2. Passez les poivrons sous l'eau. Essuyez-les. Tapissez la lèche-frite de papier d'aluminium ménager. Alignez les poivrons dessus en les espaçant suffisamment les uns des autres.

3. Mettez au four. Au bout de 10 minutes, regardez si les poivrons sont boursouflés et légèrement noircis, refermez alors le four et laissez cuire 10 minutes. Sinon, surveillez attentivement la cuisson : les poivrons ne doivent pas noircir totalement.

4. Quand ils sont à point, sortez les poivrons, mettez-les dans une passoire, recouvrez de papier d'aluminium ménager et surmontez le tout d'une assiette. Laissez reposer 2 heures au moins.

5. Épluchez les poivrons : la peau doit venir sans effort. Ôtez le pédoncule et les graines. Coupez-les en lanières.

6. Tassez les lanières de poivrons dans une terrine, salez, poivrez. Ajoutez les branches de thym, la feuille de laurier, les gousses d'ail en chemise. Versez de l'huile d'olive pour juste les recouvrir.

7. Gardez la terrine au réfrigérateur. Présentez-la éventuellement avec des citrons et du vinaigre pour les amateurs.

Équeutez, épépinez les poivrons en veillant à les conserver entiers : vous les farcirez de brandade de morue avant de les passer quelques minutes au four.

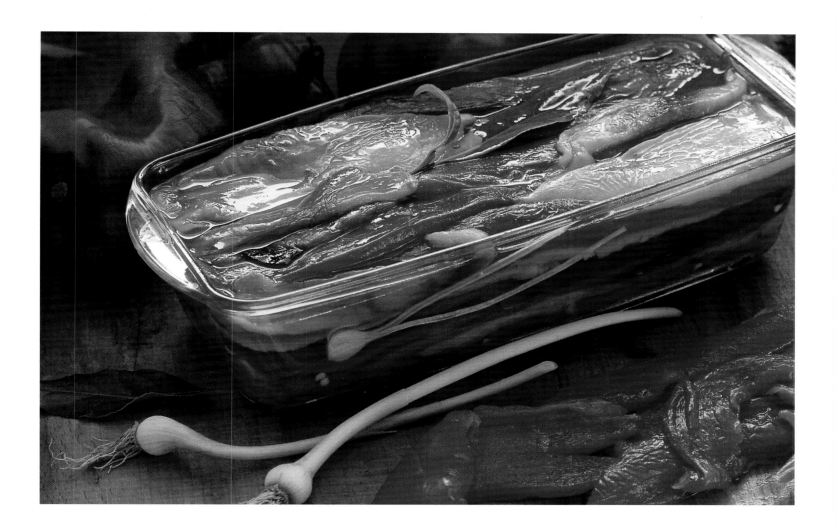

Tout le monde connaît les poivrons rouges et verts. Le poivron vert est cueilli avant maturité. Il existe également des poivrons oranges, jaunes, bien joufflus et très goûteux, et même des bordeaux foncé, presque noirs, tous issus de l'hybridation. Ce sont les plus rares, les plus chers, et pas toujours les plus savoureux. Ils apportent cependant une touche d'originalité dans la présentation d'un plat.

Piperade

Pays basque

Préparation : 10 minutes
pour les piments
(ou 30 minutes
pour les poivrons)
Cuisson : 15 minutes
pour la piperade

1. Coupez le pédoncule des piments doux, ouvrez ceux-ci dans la longueur, enlevez les graines, puis taillez-les en deux ou trois morceaux (si vous utilisez des poivrons, faites-les griller dans le four, pelez-les et coupez-les en lanières).

2. Pelez les oignons et l'ail. Pelez et épépinez les tomates.

3. Faites légèrement rissoler les piments (ou les poivrons) et le piment oiseau dans 1 cuillerée d'huile d'olive, ajoutez les oignons émincés, l'ail haché, les tomates concassées, puis le bouquet garni. Salez très légèrement, poivrez, et laissez mijoter de 10 à 15 minutes sur feu doux.

4. Dans une poêle, faites frire les œufs deux par deux dans 1 cuillerée à soupe d'huile d'olive.

5. Pendant ce temps, transvasez les légumes dans un plat de service chaud. Dans une poêle sèche, chauffée au maximum, faites très rapidement revenir les tranches de jambon d'un côté, puis de l'autre. Mettez-les sur la piperade et posez 2 œufs sur chacune. Servez aussitôt.

Pour 6 personnes

6 tranches de jambon
de Bayonne

12 œufs

1 kg de tomates

1 douzaine de piments
doux d'Espelette

(ou 4 gros poivrons verts)

1 petit piment oiseau

4 oignons

2 gousses d'ail

1 bouquet garni

7 cuillerées à soupe
d'huile d'olive

Sel

Poivre

Marmitako de thon

Pays basque

Préparation : 15 minutes

Cuisson : 30 minutes

1. Pelez les pommes de terre, coupez-les en gros cubes. Ôtez les pédoncules et les graines des poivrons, débitez-les en fines lanières. Épluchez et émincez les gousses d'ail et les oignons.
2. Dans une cocotte, faites revenir dans l'huile d'olive les oignons, l'ail et les poivrons. Ajoutez les pommes de terre. Remuez, laissez colorer.
3. Enlevez la peau et l'os central des darnes. Coupez le thon en morceaux. Mettez ceux-ci dans la cocotte, puis mouillez avec le vin blanc. Salez, poivrez, couvrez et laissez mijoter 30 minutes.
4. Servez bien chaud, dans la cocotte.

Ce plat peut être préparé avec du cabillaud, de la lotte, du congre...

Pour 6 personnes

6 darnes de thon rouge

1 kg de pommes de terre

2 poivrons verts

2 poivrons rouges

2 oignons

2 gousses d'ail

2 cuillerées à soupe d'huile d'olive

15 cl de vin blanc

Sel

Poivre

Ail au four bordelais

Aquitaine

Préparation : 10 minutes

Cuisson : 2 heures 30

1. Dégagez les gousses de chaque tête d'ail en incisant ces dernières jusqu'à mi-hauteur. Enfoncez une noisette de beurre au milieu de chaque incision.
2. Préchauffez le four à 210 °C (th. 7).
3. Beurrez le fond d'un plat à gratin. Tapissez-le de gros sel et déposez-y les gousses d'ail. Mettez au four et laissez cuire 30 minutes.
4. Sortez le plat du four, versez 1 verre d'eau. Couvrez l'ail d'une grande feuille de papier d'aluminium ménager. Remettez dans le four à 150 °C (th. 5) et laissez cuire encore 2 heures.
L'ail ainsi préparé est écrasé à la fourchette, salé, poivré, et dégusté avec du pain de campagne bien beurré.

Curieusement, on retrouve cette recette en Provence.

Pour 6 personnes

6 têtes d'ail nouveau

50 g de beurre

Gros sel

Poires de la Saint-Jean

Aquitaine

Préparation : 5 minutes

Cuisson : 20 minutes

1. Passez les poires sous l'eau. Essuyez-les délicatement.
2. Dans une casserole, posez-les l'une à côté de l'autre sans qu'elles se touchent. Versez le vin rouge avec le sucre, ajoutez les épices, mouillez avec de l'eau si nécessaire : la tige doit juste émerger.
3. Portez à ébullition et laissez cuire 20 minutes. Laissez-les refroidir dans la casserole avant de les présenter dans un compotier. Veillez surtout à ne pas les mettre au réfrigérateur !

Pour 6 personnes

18 petites poires

1 litre de vin rouge

3 cuillerées à soupe de sucre

1 bâton de cannelle

1 clou de girofle

1 gousse de vanille

Ces petites poires apparaissent dans les jardins du Sud-Ouest aux environs du 20 juin. Elles restent de une à deux semaines sur les marchés avant de disparaître jusqu'à la Saint-Jean suivante.

Il existe aussi de minuscules pommes de la Saint-Jean, à peine plus grosses que des prunes. Acides, mais juteuses, elles ne sont guère cuisinées. Les quelques pommiers de la Saint-Jean qui demeurent dans les jardins ne permettent malheureusement pas d'alimenter les marchés.

Marchés d'automne

L'automne est d'une richesse inouïe, comme si la terre, avant de se replier sur elle-même,
voulait nous rappeler sa vigueur et sa générosité.

L'automne est la saison des produits maritimes et en particulier des coquilles Saint-Jacques. Même si de nombreux gisements existent sur le littoral de la Manche et de l'Atlantique, les coquilles de Bretagne restent les favorites : les coquilles de Gourreaux, de Belle-Ile, vendues à Quiberon, conservent une grande renommée, mais ne doivent cependant pas faire oublier celles d'Erquy, de Brest ou de Morlaix.

Comme les coquilles Saint-Jacques, les huîtres de Bretagne (les cancalaises, les belons ou les claires de Marennes-Oléron) ont longtemps été considérées comme les meilleures. Elles se dégustent dès septembre, comme celles du bassin d'Arcachon, accompagnées de petites saucisses grillées et d'une gorgée de vin blanc. À noter qu'une petite production d'huîtres, autour du lac d'Hossegor, dans les Landes, est consommée sur place par des amateurs éclairés.

Le hareng, le maquereau et le merlan sont meilleurs au début de l'automne. Poissons populaires par excellence, ils ont déserté pendant une longue période les tables raffinées qui les trouvaient sans doute trop modestes pour les afficher en public. Mais, signe des temps, les voilà qui reprennent du galon. Il faut les acheter frais et si possible à la criée, sur les ports de Boulogne-sur-Mer, Fécamp, Dieppe (pour le maquereau et le hareng) ou Le Guilvinec (pour le merlan).

Les derniers melons cèdent la place aux premières pommes, aux noisettes et aux châtaignes. Les girolles, communément appelées chanterelles, ainsi que les cèpes font leur apparition. Pour être goûteux, ces champignons ne doivent pas être desséchés.

Si la mer apporte son tribut à nos appétits, sur la terre ferme la fête automnale se déploie aussi. C'est le moment de la chasse, et le gibier à plume ou à poil va remplir nombre de congélateurs. Il vaut mieux aller chercher ces bêtes dans la gibecière des chasseurs que sur les étals des marchés, pas toujours bien approvisionnés, car, si certains animaux peuvent être chassés, ils ne peuvent être vendus.

Qui dit gibier dit aussi champignons, châtaignes, noix, noisettes et autres produits forestiers et rustiques. Dans le Sud-Ouest, la chaleur finissante de l'été permet de fabuleuses cueillettes, à commencer par celle du cèpe (ou bolet) à l'incomparable parfum. Le roi des bolets, c'est le cèpe de Bordeaux, très charnu et parfois gigantesque, que les Gascons cuisinent de mille et une façons. Le cèpe échappe au commerce de masse. Le marché le plus prestigieux, réservé aux propriétaires des massifs forestiers alentour, se tient à Villefranche-de-Rouergue. À Montpazier, Belvès ou Sarlat, comme au marché des Capucins à Bordeaux, les particuliers peuvent venir tenter leur chance. Les cèpes, de même que la plupart des champignons sylvestres, doivent être consommés frais après la cueillette. Retournez-les avant de les acheter : la pâleur des spores signale leur fraîcheur.

On ne dispose que de six semaines pour ramasser ce fruit très saisonnier qu'est la châtaigne. Elle fut longtemps l'alimentation de base des Corses et des Ardéchois, et entre, sous forme de farine, dans la composition de nombreuses recettes de pains, galettes ou gâteaux de ces régions. Incisez toujours les châtaignes avant de les faire cuire.

Les marrons ne sont qu'une des nombreuses variétés de châtaigne. C'est avec eux que le confiseur réalise les festifs et onéreux marrons glacés. En Poitou-Charentes, la châtaigne nouzillate tombe pour la Toussaint. Toute petite, à la peau très fine, elle alimente brièvement et trop chichement les marchés locaux de Gençay, Vivonne et Civray.

À la même période que les châtaignes, faites le plein de noix fraîches : la marbot du Lot et de la Corrèze, la corne de Dordogne, la mayette de l'Isère. Seule la noix de Grenoble bénéficie d'une AOC.

Les noisettes fraîches sont encore plus rares que les noix. Assurez-vous de leur qualité, car elles se conservent mal et noircissent très vite. Elles doivent avoir de petites feuilles vert tendre, être jolies

EN HAUT À GAUCHE
C'est à l'automne puis en hiver que les moules sont les meilleures : elles doivent être vivantes et par conséquent bien fermées. La tête bien attachée au reste du corps donne une précieuse indication sur la fraîcheur des crevettes.

comme des bonbons, bien brillantes, bien pleines et absolument intactes. Les amandes toute blanches se marieront très bien avec les salades d'hiver : mâche nantaise, bettes de Lyon, de Nice, de Paris ou du Languedoc, dont elles relèvent le goût un peu fade.

Il est impossible de répertorier tous les légumes offerts par cette saison somptueuse qu'est l'automne : les choux-fleurs ou pommés, le céleri-branche aux tendres feuilles, accommodé cru avec de l'anchoïade ou braisé en Provence, le fenouil qui se marie si bien avec la pomme et l'exotique coriandre ou se laisse doucement gratiner après avoir été cuit à la vapeur.

Le céleri-rave est vilain comme tout, mais savoureux en diable. Tout est bon dans ce drôle de légume, et tout lui va : cru, en rémoulade, ou cuit avec des pommes de terre.

L'automne, c'est aussi l'époque des petites chicorées du Nord, rustiques et croquantes, délicieuses arrosées d'huile de noix ou de noisette.

Autre légume racine, la betterave est, la plupart du temps, vendue cuite. Mais on peut la trouver

parfois crue sur les marchés du Nord-Pas-de-Calais, du Loiret et de Bretagne jusqu'à la fin du mois d'octobre. Son goût légèrement sucré adoucit les gibiers et permet des unions inattendues et complémentaires avec l'endive, la mâche, les noix, le céleri-rave. Vous pouvez faire des chips avec la betterave crue : c'est un régal.

Les primeurs ont disparu depuis longtemps et ont cédé la place aux légumes de garde : pommes de terre, carottes, poireaux, ail, oignons à la peau souvent épaisse. C'est avec eux que s'annonce le grand festival des soupes, à commencer par le traditionnel pot-au-feu dont on ne se lassera pas jusqu'au printemps.

Les courges, le potiron, le potimarron et le pâtisson reviennent en force. Est-ce une mode ou une redécouverte durable ? Dès novembre, la fête d'Halloween aidant, ils envahissent les marchés, les devantures des boutiques et les restaurants jusqu'à Noël : évidés, découpés, ils font la joie des petits et des grands. Longtemps cultivé en Provence, le potiron est désormais produit dans le Bassin parisien.

Présente à table toute l'année, la pomme est le plus populaire des fruits. Qu'elles soient vertes, jaunes, rouges, grises, marron, les variétés sont

CI-CONTRE

Le céleri-rave est
enfin redécouvert,
grâce aux chefs
qui ne cessent d'inventer
de nouvelles recettes.

Le lapin de garenne donne rarement de mauvaises surprises quant à sa qualité ; on est du moins quasi certain qu'il ne s'agit pas de lapin industriel...

innombrables. Choisissez les reines des reinettes en septembre-octobre, les reinettes du canada et les belles de Boskoop en novembre et jusqu'à avril, puis les granny-smith. La golden a terriblement souffert de sa popularité et a perdu de sa saveur. Préférez-lui la braeburn, la jonagold ou l'elstar. La Normandie et la Bretagne furent longtemps

Somptueux, onéreux, le chapon de Bresse est toujours luxueusement élevé. Comme toute volaille, il faut le consommer rapidement après achat.

les terres d'élection de la pomme, mais les vergers d'Aquitaine, de Midi-Pyrénées et du Périgord ont rattrapé leur retard et produisent aujourd'hui des pommes exceptionnelles.

La poire, plus délicate, voyage mal et doit être affinée avant d'être consommée. Les poires d'automne comme la louise-bonne, la beurré hardy, l'alexandrine, la conférence, la doyenné du comice ont chacune leur grain de peau, leur parfum, leur lot de sucre ou de jus. Toutes doivent être traitées avec vigilance. La plupart poussent en Provence, dans le Val de Loire et, d'une manière plus artisanale, en Normandie.

Autre fruit longtemps délaissé et qui réapparaît : le coing. Il est surtout cultivé dans la Drôme, en Savoie et dans les Bouches-du-Rhône. Astringent et riche en bouche, il doit être cuisiné en compote et en confiture. Il s'allie au gibier et à la volaille. En pâte, il est indispensable dans la composition des treize desserts du Noël provençal. Mais alors, nous sommes déjà en hiver.

Quiche lorraine

Lorraine

Préparation : 20 minutes

Cuisson : 45 minutes

1. Farinez un plan de travail, étalez-y la pâte au rouleau à pâtisserie. Beurrez un moule à tarte de 22 cm de diamètre. Foncez-le avec la pâte, en prenant soin de laisser celle-ci déborder un petit peu. Piquez le fond à la fourchette.

2. Ôtez la couenne et les cartilages de la poitrine, détaillez-la en lardons. Faites blanchir ceux-ci 3 minutes à l'eau bouillante non salée. Épongez-les. Faites-les revenir sans dorer dans une poêle antiadhésive, égouttez-les et disposez-les dans le moule.

3. Préchauffez le four à 210 °C (th. 7).

4. Dans un grand saladier, battez les œufs entiers et les jaunes, ajoutez la crème fraîche, le fromage râpé. Assaisonnez en sel

Pour 6 personnes

150 g de poitrine

de porc fumée

250 g de pâte brisée

40 cl de crème fraîche

5 œufs + 2 jaunes

100 g de gruyère râpé

30 g de beurre

Farine

Noix muscade

Sel, poivre

(avec parcimonie), poivre et noix muscade. Mettez au four et laissez cuire 20 minutes, puis abaissez la température à 160 °C / 170 °C (th. 5/6) et laissez cuire encore 20 minutes environ.

5. Servez bien chaud, avec une salade croquante.

Flamiche aux poireaux, tarte aux épinards, tarte au maroilles obéissent aux mêmes principes.

Baeckeofe

Alsace

Préparation : 20 minutes

Macération : 12 heures

Cuisson : 3 heures, au minimum

1. La veille, préparez la marinade : dans un grand plat, versez le vin blanc, ajoutez 1 oignon pelé et émincé, 1 oignon piqué du clou de girofle, les blancs de poireaux lavés, essuyés et coupés en rondelles, le bouquet garni et les gousses d'ail pelées. Poivrez.
2. Coupez toutes les viandes en morceaux de taille identique, mettez-les dans le plat et remuez. Couvrez d'un film alimentaire et gardez au frais toute une nuit.
3. Le jour même, épluchez et coupez en rondelles les pommes de terre et les oignons.
4. Préchauffez le four à 160 °C (th. 5/6).
5. Enduisez généreusement de graisse le fond d'une cocotte (ou d'une terrine). Disposez une couche de rondelles de pommes de terre, une couche de viandes, une couche d'oignons. Continuez ainsi jusqu'à épuisement des ingrédients en terminant par une couche de pommes de terre.
6. Retirez le bouquet garni et l'oignon piqué du clou de girofle de la marinade. Filtrez le liquide dans un tamis ou un chinois au-dessus de la cocotte. Le liquide doit juste affleurer la dernière couche. Ajoutez éventuellement de l'eau.
7. Confectionnez un boudin de pâte avec de la farine et de l'eau et lutez la cocotte avec. Placez le couvercle. Mettez au four et laissez cuire 3 heures et plus si nécessaire.

Pour 6 personnes

750 g de gîte de bœuf

750 g d'épaule d'agneau désossée

750 g d'échine de porc

2 kg de pommes de terre

300 g d'oignons

80 g de graisse d'oie

Pour la marinade

1 litre de vin blanc sec d'Alsace

2 oignons

2 gousses d'ail

1 clou de girofle

3 blancs de poireaux

1 bouquet garni (thym, laurier, persil, 1 branche de céleri ficelés dans du vert de poireau)

Poivre

Poires pochées
et coing caramel

Ile-de-France

Préparation : 15 minutes

Cuisson : 20 minutes environ

pour les poires

+ 10 minutes pour le coing

1. Pelez les poires en veillant à ne pas endommager la tige. Citronnez-les.
2. Faites chauffer 50 cl d'eau et 125 g de sucre avec la gousse de vanille coupée en deux dans la longueur. Dès que le sirop bout, plongez-y les poires et laissez-les cuire 20 minutes environ. Elles doivent devenir translucides. Laissez-les refroidir dans leur sirop de cuisson.
3. Pelez le coing, citronnez-le au fur et à mesure. Détaillez-le en fines lamelles.
4. Dans une poêle, faites chauffer le beurre. Dès qu'il mousse, mettez les morceaux de coing, saupoudrez-les du restant de sucre : ils vont petit à petit caraméliser et devenir légèrement translucides. Retirez-les délicatement de la poêle à l'aide d'une spatule.
5. Coupez chaque poire en deux, entourez chaque moitié de morceaux de coing. Servez.

Pour 6 personnes

3 poires

1 beau coing

1 citron

200 g de sucre

1 gousse de vanille

50 g de beurre

Seuls les heureux propriétaires de cognassiers bénéficiaient de ce fruit et en connaissaient les vertus gustatives. Réhabilité par les gourmets, il apparaît depuis peu sur les marchés. Sa saison est très courte. Transformez-le vite en confitures, compotes, pâtes de fruits. Et n'hésitez pas à le servir avec du gibier. C'est délicieux.

Moules farcies

Charente-Maritime

Préparation : 15 minutes
pour les moules
+ 5 minutes pour la farce
Cuisson : 5 minutes

1. Grattez, lavez les moules. Faites-les ouvrir sur feu vif, dans une grande cocotte couverte, avec 1 noix de beurre. Remuez deux ou trois fois. Lorsqu'elles sont ouvertes, retirez-les. Ôtez une coquille sur chaque moule. Filtrez le jus de cuisson. Placez les moules dans un plat à gratin.
2. Préchauffez le four à 210 °C (th. 7).
3. Préparez la farce. Hachez finement les gousses d'ail, les échalotes, le persil. Malaxez avec le beurre en ajoutant un peu du jus de cuisson des moules. Ne salez pas. Farcissez chaque moule de cette préparation.
4. Mettez au four et laissez cuire 5 minutes. Servez aussitôt.

Pour 6 personnes

36 moules espagnoles

150 g de beurre + 1 noix

2 gousses d'ail

1 bouquet de persil

2 échalotes

Praires farcies

Charente-Maritime

Préparation : 15 minutes
+ ouverture des praires
Macération : 1 heure
Cuisson : 10 minutes

1. Pelez l'ail et les échalotes.
2. Dans le bol d'un robot ménager, mettez les gousses d'ail, les échalotes et le persil. Mixez.
3. Dans un bol, mettez ce hachis avec le 4-épices et le vin blanc. Laissez-le macérer 1 heure au minimum. Puis incorporez-le au beurre.
4. Préchauffez le four à 210 °C (th. 7).
5. Versez une couche très fine de gros sel au fond de la lèchefrite. Ouvrez les coquillages, remplissez-les avec le beurre parfumé. Posez-les sur le gros sel. Saupoudrez chacun d'eux de chapelure.
6. Mettez au four et laissez cuire de 5 à 10 minutes. Servez aussitôt avec des tranches de pain de campagne.

Les amateurs préféreront les praires crues, nature... comme les huîtres.

Pour 6 personnes

36 praires

200 g de beurre demi-sel

2 échalotes

3 gousses d'ail

1 bouquet de persil

1 cuillerée à soupe
de vin blanc sec

1 cuillerée à soupe
de chapelure

1 cuillerée à café
de 4-épices

Poivre

Gros sel